D0266469

Simon A. Mayer

Auf Leben komm raus

Betrachtungen zur Lohrer Karfreitagsprozession

Mit Fotografien von Helmuth Rößlein

echter

Den Trägern

Bibliografische Information der Deutschen Nationalbibliothek

Die Deutsche Nationalbibliothek verzeichnet diese Publikation in der Deutschen Nationalbibliografie; detaillierte bibliografische Daten sind im Internet über http://dnb.d-nb.de abrufbar.

www.echter-verlag.de

Gestaltung
Peter Hellmund, Würzburg

Druck und Bindung
Druckerei Theiss GmbH, A–9431 St. Stefan, www.theiss.at

ISBN 978-3-429-03409-2

EINFÜHRUNG

Was ergibt sich nun, wenn wir das alles bedenken?
Ist Gott für uns, wer ist dann gegen uns?
Er hat seinen eigenen Sohn nicht verschont,
sondern ihn für uns alle hingegeben –
wie sollte er uns mit ihm nicht alles schenken?
Röm 8,31–32

Karfreitagmorgen, 10:30 Uhr in Lohr am Main: Ein erster dumpfer Paukenschlag, und die Gespräche der Menschen am Rande – Touristen und Schaulustige, Beter und Betrachter, Fromme und andere – verstummen. Ein weiterer dumpfer Paukenschlag, ein Trauerchoral setzt ein, und die Karfreitagsprozession mit ihren 13 fast lebensgroßen Bildern, getragen von Mitgliedern der unterschiedlichsten Berufe, setzt sich in Bewegung.

Die Figuren des Leidensweges Jesu werden an den Menschen vorbeigetragen: beginnend beim Letzten Abendmahl, dann Ölberg, Verhaftung und Verspottung, Geißelung, „Ecce Homo" und Kreuztragung bis zum großen aufrecht getragenen Handwerkerkreuz, an dessen Wunden rote Bänder geknüpft sind, die zu von Mädchen getragenen goldenen Kelchen führen; anschließend das „Kreuz unserer Zeit", die Pietà, das Grab und – als letzte Figur und Zeichen der Hoffnung auf die Auferstehung am dritten Tag – Jona im Fisch.

Es ist eine gesammelte und schweigende Prozession, die trotz der vielen Menschen, die die Figuren tragen, der Anzahl der Ministranten und Geistlichen und den Tausenden am Straßenrand einen sehr intimen Charakter besitzt. Trotz der Vielzahl der Menschen ist sie keine Massenveranstaltung, sondern gewährt dem persönlichen Schauen, Betrachten und auch Beten Raum.

Seit dem 17ten Jahrhundert – der erste urkundliche Hinweis datiert aus dem Jahr 1656, ein zweiter 1663 – gehen die Lohrer mit den Figuren der Karfreitagsprozession auf die Straße. Es ist eine Leidensprozession, die das Passionsgeschehen abbildet, das die vier Evangelien erzählen, und hat so ihren Höhepunkt im Kreuz Jesu. Einige Figuren aus dieser Zeit drücken das Glaubensverständnis und das Frömmigkeitsleben der damaligen Menschen noch aus. Im Laufe der Geschichte bis hinein in unsere Tage wurden immer wieder Figuren ausgetauscht, entfernt oder neue eingefügt. Das Anliegen dahinter war nicht der Wunsch nach der Neuerung, sondern der je neue Versuch, die Botschaft der Prozession und die Bedeutung des dargestellten Geschehens den Menschen der jeweiligen Zeit begreiflich und verständlich vor Augen zu bringen. Diese Prozession wurde nie in einem luftleeren Raum, gewissermaßen um ihrer selbst willen, ohne Bezug zu den Menschen der Zeit, durchgeführt. Sie ist Verkündigung des Glaubens an das Erlösungsgeschehen am Kreuz, Verkündigung der Liebe Gottes zu uns Menschen, Verkündigung der Hoffnung auf Leben in Fülle.

So setzte sich die Karfreitagsprozession in Lohr in den Jahrhunderten durch. Weder das pikierte Kopfschütteln der Aufklärung über ein solches anscheinend vernunftwidriges Spektakel, noch Verbote der Regierungen im 19ten Jahrhundert konnten ein Ende dieser Prozessionstradition herbeiführen. Ein wesentlicher Grund dafür ist wohl darin zu suchen, dass die Karfreitagsprozession tief im Bewusstsein der Lohrer Bevölkerung verwurzelt ist und von der Stadtgeistlichkeit mitgetragen und gefördert wurde. Träger der Prozession ist in erster Linie nicht die kirchliche Gemeinde, sondern die Bevölkerung der Stadt mit ihren verschiedenen Berufsgruppen. So waren von alters her die verschiedenen Stationen bestimmten Handwerkszünften zugeordnet. Nach der Auflösung der Zünfte traten die neu erstandenen Innungen dieses Erbe an. Neue Berufe und Gruppierungen wurden den Figuren zugeordnet, bei denen entweder eine Affinität zu den bestehenden Trägern bestand oder auch einfach nur Trägernot herrschte. Die Prozession beweist so ihren integrierenden Charakter über Standes-, Berufs- und auch Konfessionsgrenzen hinweg.

In den Jahren nach 1950 fand unter dem damaligen Stadtpfarrer Dekan Karl Haller eine große Umgestaltung der Prozession statt, nachdem Versuche einer umfassenden Neugestaltung in den 1930er Jahren durch den Ausbruch des Zweiten Weltkrieges nicht zur Gänze umgesetzt werden konnten. Seit dieser Umgestaltung in den 1950er Jahren präsentiert sich die Lohrer Karfreitagsprozession als eine eindrucksvolle Schweigeprozession. Die Gebete und Lieder, die die Prozession bis dahin begleiteten, wurden abgeschafft. Zwei Blaskapellen spielen seitdem Trauerchoräle oder Paukenschläge zerreißen die Stille dazwischen. Diese Umgestaltung hat der Lohrer Karfreitagsprozession eine ungeheure Kraft und Ausstrahlung verliehen und lässt sie zeitlos aktuell erscheinen.

Seit 1994 nehmen auch die evangelischen Geistlichen der Stadt im Talar an der Prozession teil, evangelische Träger der Figuren gab es schon Jahrzehnte zuvor. So entwickelte sich die Prozession, die im 17ten Jahrhundert als ein Mittel der Gegenreformation im 1544 evangelisch gewordenen und ab 1603 rekatholisierten Lohr eingeführt wurde, zu einem ökumenischen Ereignis. Das Kreuz ist nicht das Trennende, sondern das Einende.

Seit 2002 kümmert sich ein Förderverein um den Erhalt und die Präsentation der Figuren sowie um Unterstützung bei der Durchführung der Prozession. Er versteht sich dabei unterstützend, wo die überkommenen Strukturen der Innungen, sei es auf Grund von Personalmangel, sei es auf Grund zu groß gewordener Organisationseinheiten, das Anliegen der Lohrer Karfreitagsprozession nicht mehr tragen können. Er greift, wo es nötig und angemessen ist, personell, ideell und materiell ein.

So hat die Lohrer Karfreitagsprozession bis heute überlebt als eine der letzten – neben Heiligenstadt im Eichsfeld mit sechs Bildern und Neunkirchen am Brand mit acht Darstellungen – und mit ihren 13 Bildern als größte in Deutschland. Sie ist bis heute kein folkloristisches Spektakel, das aufgeführt wird, um zu zeigen, wie es einmal war. Sie ist vielmehr eine lebendige Tradition, die die Bedeutung und Lebendigkeit des Glaubens zeigt, die das Feuer weitergibt und am Brennen hält und nicht die Asche hütet. Sie ist Verkündigung des Glaubens und hat gerade auch in der heutigen Zeit eine missionarische Bedeutung.

Jedes Jahr zieht diese Prozession am Morgen des Karfreitags tausende Menschen nach Lohr. Sie säumen den Prozessionsweg, der von der Stadtpfarrkirche St. Michael aus um den Kirchberg herum, ein Stück entlang der alten Stadtmauer und schließlich mitten durch die Stadt entlang der Hauptstraße wieder zum Kirchplatz führt. Dort endet die Prozession mit einer kurzen Ansprache des Stadtpfarrers, dem gemeinsamen Gebet des Vaterunsers vor dem Segen und dem Choral „O Haupt voll Blut und Wunden".

Schon vor Beginn der Prozession, wenn die Figuren geschmückt werden, und auch danach, wenn sie wieder zurück in die Kapuzinerkirche gebracht werden, wo sie das Jahr über stehen und besichtigt werden können, sind sie umringt von Menschen, die sie näher betrachten und mit ihnen in Dialog treten wollen. Die Figuren der Lohrer Karfreitagsprozession haben etwas zu sagen: Sie erzählen vom Leben. Sie erzählen von dem, der sein Leben hingab, damit wir leben können.

Die hier vorgelegten Betrachtungen wollen eine Hilfe sein mit den Figuren in Dialog zu treten. Sie verstehen sich weder als kunsthistorische Beschreibungen noch als frömmigkeitsgeschichtliche Einordnungen, sondern als spirituelle Texte, die anregen wollen mit der Figur, den biblischen Texten und dem eigenen Leben ins Gespräch zu kommen. Sie bleiben so bewusst subjektive Äußerungen. Sie können und wollen eine wissenschaftliche Auseinandersetzung mit der Geschichte der Prozession nicht leisten und auch nicht ersetzen. Sie wollen helfen tiefer zu sehen und zu erahnen, was da in den Bildern dargestellt ist.

Die biblischen Texte, die den einzelnen Betrachtungen vorangestellt sind, geben gewissermaßen den Grund vor, auf dem die Station der Lohrer Karfreitagsprozession steht. Immer wieder wird der Lauf der Betrachtungen durch alte liturgische Hymnen oder neuere Texte auf das Geschehen des Karfreitags durchbrochen, um inne zu halten und auch ins Gebet zu kommen. Diese Zeit ist nötig.

Nur auf dem ersten Blick ist das Geschehen des Karfreitags tödlich. Jesus stirbt am Kreuz und wird begraben. Einen Karfreitag aber gibt es nicht ohne den Ostermorgen mit der Auferweckung des Gekreuzigten durch Gott. Am Ende dieser Geschichte, die wirklich Heilsgeschichte und Befreiungsgeschichte ist, steht nicht der Tod, sondern das Leben, Leben in Fülle. In diesem Wissen um das Ende, und nur in diesem Wissen, lässt sich der Karfreitag aushalten und verstehen. Und nur in diesem Wissen lässt sich die Karfreitagsprozession verstehen. Was wäre das für ein makabres Schauspiel, wenn man nur mit dem Leiden und dem Tod auf die Straßen ginge. So aber zeigen sich im Wissen um das wirkliche Ende die Spuren des Lebens gerade an diesen Leidensfiguren Jesu. Nach diesen Spuren des Lebens halten auch die Betrachtungen dieses Buches Ausschau. Denn diese Spuren ermöglichen, das eigene Leben zu deuten, zu verstehen und – wo nötig – auch zu tragen und zu ertragen. Sie vermögen Hoffnung zu geben durch den Einen, der da starb, damit die Vielen das Leben haben und es in Fülle haben. So geht es um Eines: Auf Leben komm raus.

KREUZESNACHFOLGE

Spitzengruppe der Prozession mit Ministranten, Vortragekreuz und „Pestfahne".

Aus dem Markus-Evangelium

„Jesus rief die Volksmenge und seine Jünger zu sich und sagte: Wer mein Jünger sein will, der verleugne sich selbst, nehme sein Kreuz auf sich und folge mir nach. Denn wer sein Leben retten will, wird es verlieren; wer aber sein Leben um meinetwillen und um des Evangeliums willen verliert, wird es retten. Was nützt es einem Menschen, wenn er die ganze Welt gewinnt, dabei aber sein Leben einbüßt? Um welchen Preis könnte ein Mensch sein Leben zurückkaufen?“

Mk 8,34–37

Hinterher!

Es dauert eine ganze Weile nachdem sich die Lohrer Karfreitagsprozession in Bewegung gesetzt hat, bis das erste Bild, das „Letzte Abendmahl" an den Betrachtern vorübergetragen wird, und es dauert ebenso eine ganze Weile, bis nach dem letzten Bild „Das Zeichen des Jona" die Prozession zu ihrem Ende kommt. Dass es zu Beginn dauert, ist gut so, und dass es am Ende dauert, hat seine Bedeutung.

Die Dauer zu Beginn hilft den Betrachtern am Rande, sich auf das einzustellen, was da auf sie zukommt. Würden gleich die lebensgroßen Bilder des Leidensweges Jesu an ihnen vorübergetragen werden, wäre dies eine Überforderung. Aber trotzdem wird von Anfang an klar gemacht, was da kommt und dass das, was da kommt, eine Bedeutung hat.

Zu Beginn der Prozession wird das Vortragekreuz flankiert von zwei Standarten von Ministranten getragen. Dieses Vortragekreuz ist verglichen mit dem großen Handwerkerkreuz der Prozession und dem „Kreuz unserer Zeit" regelrecht unscheinbar. Es macht aber deutlich, dass das, was hier nun geschieht, Kreuzesnachfolge ist. Kreuzesnachfolge im wahrsten Sinn des Wortes: Alles läuft hinter diesem Kreuz her und folgt ihm nach: die Träger der Figuren, die Musiker, die Träger der Zunft- und Prozessionsstangen, die Ministranten und die Geistlichen, die Menschen, die sich dann am Schluss der Prozession, nachdem sie an ihnen vorübergezogen ist, anschließen, um den letzten Weg Jesu selbst noch bis ans Ende mitzugehen.

Kreuzesnachfolge ist Christusnachfolge und Christusnachfolge ist Kreuzesnachfolge. Beides gehört zusammen und darf nicht voneinander getrennt werden. Das müssen die Menschen, die an Christus glauben, immer wieder und immer neu lernen, so wie es auch schon seine Jünger, allen voran Petrus, lernen mussten. Petrus hatte Jesus als den Christus, den Messias Gottes erkannt und bekannt. Dem widerspricht Jesus nicht, er setzt das Bekenntnis Petri aber in den richtigen Zusammenhang, wenn er von seinem Leiden und seinem

Sterben spricht. Für Petrus aber kann und darf das nicht zusammengehören und er macht Jesus deshalb Vorhaltungen, Gott selbst möge das verhüten. Jesus weist Petrus zurecht und fordert ihn auf, hinter ihm herzugehen, ihm nachzufolgen, um zu verstehen, dass es so sein muss, wie er gesagt hat. So wird die Christusnachfolge des Petrus letztlich zur Kreuzesnachfolge. Bis zur Nachfolge an das Kreuz selber, an dem Petrus seinen Tod finden wird.

Zu dieser Kreuzesnachfolge sind alle aufgerufen, denn in dieser Kreuzesnachfolge findet man auf den Weg zum Leben, zum Leben in Fülle. Jesus selbst fordert dazu auf und heraus: „Wer mein Jünger sein will, der verleugne sich selbst, nehme sein Kreuz auf sich und folge mir nach. Denn wer sein Leben retten will, wird es verlieren; wer aber sein Leben um meinetwillen und um des Evangeliums willen verliert, wird es retten“ (Mk 8,34–35). Auf diese Kreuzesnachfolge Jesu, die in der Prozession verwirklicht wird und die im Leben verwirklicht werden soll, verweist das eher unscheinbare Vortragekreuz am Beginn der Lohrer Karfreitagsprozession. All die aber, die sich am Schluss der Prozession anschließen, haben zumindest eine kleine Ahnung bekommen von Christusnachfolge und Kreuzesnachfolge.

Memento mori!

Nach dem Vortragekreuz wird die schwarze Standarte der ehemaligen Totenbruderschaft – im Volksmund „Pestfahne“ genannt – getragen. Diese Standarte hat zwar mit der Karfreitagsprozession historisch nichts zu tun, rüttelt aber an dieser Stelle den Betrachter auf und macht die existenzielle Bedeutung dessen, was da vorgestellt wird, deutlich. Der sooft verdrängte Tod hat etwas mit dem Leben zu tun, und wer vor dem Tod davonrennt, läuft auch dem Leben davon. Der Tod als unumgängliches Ende macht das Leben unwiederbringlich und so bedeutsam und wertvoll.

Deshalb ist die Aufforderung „Homo, memento mori – Mensch, gedenke, dass du sterben wirst“ auf der Vorderseite der Fahne über dem Totenschädel mit den zwei gekreuzten Knochen wichtig, weil sie die Bedeutung des eigenen Lebens im Angesicht des unausweichlichen Todes ins Bewusstsein ruft. Nicht so deutlich wie der Totenschädel und die Aufschrift fordern das Kreuz auf der Fahnenstange und das Kreuz mit der Dornenkorne auf der Rückseite der Standarte auf zu einem „Memento mortis – Gedenke des Todes“, und zwar des Todes Christi, der in den dann folgenden Bildern der Karfreitagsprozession den Betrachtern vor Augen geführt wird, durch den uns Heil und Leben geworden ist auch und gerade im eigenen und unausweichlichen Tod, ja durch diesen Tod hindurch.

Jesus von Nazaret, der König der Juden

Nachdem durch das Vortragekreuz deutlich wurde, es geht hier um Christusnachfolge und somit um Kreuzesnachfolge, und die schwarze Fahne der ehemaligen Totenbruderschaft darauf verwiesen hat, dass der Tod Jesu von Bedeutung ist für unser eigenes Leben und Sterben, benennt ein drittes Zeichen am Beginn den Inhalt der Prozession: „Die Leidensgeschichte unseres Herrn und Heilands“. Ein Schild mit dieser Aufschrift wird der Prozession vorweggetragen, wie Jesus auf seinem Weg nach Golgota eine Tafel vorausgetragen wurde, die den Grund seiner Verurteilung zum Tode angab: „Jesus von Nazaret, König der Juden“. Dieser knappe Urteils- und Todesspruch wurde schließlich über dem Kreuz angebracht, an dem Jesus starb. Das Schild, das bei der Prozession vorangetragen wird, ist kein Urteilsspruch, der knapp den Hinrichtungsgrund angibt – weil Jesus sich als König ausgegeben habe; das ist in den Augen der Römer Aufruhr und Hochverrat – sondern ein Glaubensbekenntnis: Dieser Jesus, dessen Leidensgeschichte hier vor Augen gestellt wird, ist der Herr. Er ist der Messias, der Christus, der Gesalbte Gottes. Er ist Herr über den Tod und Herr des Lebens. Er ist aber zugleich der Heiland der Menschen, der Heil und Segen, das Leben in Fülle bringt. So ist die ganze Prozession in unserer Zeit ein Glaubenszeugnis und ein Glaubensbekenntnis von dem Gott, der selbst durch den Tod Leben schafft und Leben in Fülle schenken will.

„Mir nach", spricht Christus, unser Held,
„mir nach, ihr Christen alle!
Verleugnet euch, verlasst die Welt,
folgt meinem Ruf und Schalle;
nehmt euer Kreuz und Ungemach
auf euch, folgt meinem Wandel nach.

Ich bin das Licht. Ich leucht euch für
mit meinem heilgen Leben.
Wer zu mir kommt und folget mir,
darf nicht im Finstern schweben.
Ich bin der Weg, ich weise wohl,
wie man wahrhaftig wandeln soll.

Fällt's euch zu schwer? Ich geh voran,
ich steh euch an der Seite.
Ich kämpfe selbst, ich brech die Bahn,
bin alles in dem Streite.
Ein böser Knecht, der still kann stehn,
sieht er voran den Feldherrn gehn.

Wer seine Seel zu finden meint,
wird sie ohn mich verlieren.
Wer sie um mich verlieren scheint,
wird sie nach Hause führen.
Wer nicht sein Kreuz nimmt und folgt mir,
ist mein nicht wert und meiner Zier.“

So lasst uns denn dem lieben Herrn
mit unserm Kreuz nachgehen
und wohlgemut, getrost und gern
in allen Leiden stehen.
Wer nicht gekämpft, trägt auch die Kron
des ewgen Lebens nicht davon.

Angelus Silesius (Johann Scheffler) 1668.

I. DAS LETZTE ABENDMAHL

Getragen von der Büttnerinnung,
den Bierbrauern und dem Gastgewerbe.

Aus dem Lukas-Evangelium

„Als die Stunde gekommen war, begab er sich mit den Aposteln zu Tisch. Und er sagte zu ihnen: Ich habe mich sehr danach gesehnt, vor meinem Leiden dieses Paschamahl mit euch zu essen. Denn ich sage euch: Ich werde es nicht mehr essen, bis das Mahl seine Erfüllung findet im Reich Gottes. Und er nahm den Kelch, sprach das Dankgebet und sagte: Nehmt den Wein und verteilt ihn untereinander! Denn ich sage euch: Von nun an werde ich nicht mehr von der Frucht des Weinstocks trinken, bis das Reich Gottes kommt. Und er nahm Brot, sprach das Dankgebet, brach das Brot und reichte es ihnen mit den Worten: Das ist mein Leib, der für euch hingegeben wird. Tut dies zu meinem Gedächtnis! Ebenso nahm er nach dem Mahl den Kelch und sagte: Dieser Kelch ist der Neue Bund in meinem Blut, das für euch vergossen wird. Doch seht, der Mann, der mich verrät und ausliefert, sitzt mit mir am Tisch."

Lk 22,14–21

Aus dem Ersten Korintherbrief

„Ich habe vom Herrn empfangen, was ich euch dann überliefert habe: Jesus, der Herr, nahm in der Nacht, in der er ausgeliefert wurde, Brot, sprach das Dankgebet, brach das Brot und sagte: Das ist mein Leib für euch. Tut dies zu meinem Gedächtnis! Ebenso nahm er nach dem Mahl den Kelch und sprach: Dieser Kelch ist der Neue Bund in meinem Blut. Tut dies, sooft ihr daraus trinkt, zu meinem Gedächtnis! Denn sooft ihr von diesem Brot esst und aus dem Kelch trinkt, verkündet ihr den Tod des Herrn, bis er kommt."

1 Kor 11,23–26

Wandlung

Die erste Figur der Lohrer Karfreitagsprozession, das Letzte Abendmahl Jesu, hat in seiner Darstellung Wandlungen hinter sich. Es existieren Fotografien vom Anfang des 20sten Jahrhunderts, die, als Station für das letzte Abendmahl, Christus zeigen, wie er, bekleidet mit dem liturgischen Gewand eines katholischen Priesters, allein am Altar steht. Er wird vorgestellt als der ewige Hohepriester und König aller Welt. Das letzte Abendmahl Jesu wird so gewissermaßen als die erste Heilige Messe der Kirche dargestellt. Diese Darstellung entspringt der Frömmigkeit des 19ten Jahrhunderts; in ihr spiegeln sich das Christkönigsfest und die Herz-Jesu-Verehrung wider.

Wie die Station vorher aussah, entzieht sich der Kenntnis. Von einer Vorläuferdarstellung ist aber mit Sicherheit auszugehen, da doch gerade diese Figur den gegenreformatorischen Anspruch, unter dem die Lohrer Karfreitagsprozession eingeführt wurde, deutlich machen konnte.

Die heute mitgetragene Darstellung atmet nun den Geist der liturgischen Erneuerung und der Bibelbewegung aus der ersten Hälfte des 20sten Jahrhunderts. Die Figuren von Jesus, der dem vor ihm knienden Lieblingsjünger die Hostie und den Kelch reicht, versuchen einerseits die biblische Erzählung einzufangen und andererseits die damalige liturgische Praxis abzubilden. Denn die biblische Erzählung wird in der liturgischen Handlung Gegenwart. Deshalb ist auch die damalige liturgische Praxis des knienden Kommunionempfangs Vorbild für diese Darstellung.

Würde diese Station in der heutigen Zeit überarbeitet oder neu gestaltet werden, würde sie mit Sicherheit wieder anders aussehen, die Entwicklungen in der Frömmigkeit seit dem Zweiten Vatikanischen Konzil berücksichtigen und somit wieder eine Wandlung vollziehen. Vielleicht würde heute der Charakter des gemeinschaftlichen Mahles Jesu mit seinen Jüngern noch stärker zum Ausdruck gebracht werden.

Die Wandlungen der Figur sind aber zugleich auch Ausdruck dessen, was dargestellt wird. Ist doch das letzte Abendmahl Jesu eine Grundlage für die Feier Eucharistie, in der die Gegenwart Christi durch die Wandlung von Brot und Wein in seinen Leib und sein Blut gefeiert wird. Ohne Wandlung keine Gegenwart Christi.

Ohne Wandlung kein Leben. Wandlung ist ein Grundgesetz des Lebens, alles wandelt sich, und was sich nicht wandelt, ist tot. Die Wandlung von Brot und Wein in Leib und Blut Christi bei der Feier der Messe ist kein Selbstzweck. Sie hat ein doppeltes Ziel: die Gegenwart des Erlösers bei seinem Volk und die Wandlung der Glaubenden, die ihn empfangen, selbst hinein in den einen Leib Christi. Paulus stellt das schon den Christen in Korinth vor Augen: „Ist der Kelch des Segens, über den wir den Segen sprechen, nicht Teilhabe am Blut Christi? Ist das Brot, das wir brechen, nicht Teilhabe am Leib Christi? Ein Brot ist es. Darum sind wir viele ein Leib; denn wir alle haben teil an dem einen Brot“ (1 Kor 10,16–17).

Augustinus fasst es noch prägnanter, wenn er sagt: „Empfangt, was ihr seid: Leib Christi! Werdet, was ihr empfangt: Leib Christi!“ Die Wandlung der Messe zielt auf unsere Wandlung ab. Sie schenkt in der Gemeinschaft mit Christus eine Wandlung hinein in das Leben in Fülle, das er selbst gibt.

Genommen – gebrochen – gegeben

Das letzte Abendmahl Jesu nimmt den Karfreitag gewissermaßen schon vorweg. Seine Lebenshingabe am Kreuz, um die Menschen zu befreien und ihnen das Leben in Fülle zu schenken, geschieht hier schon im Voraus, wenn er seinen Jüngern das Brot bricht, den Kelch reicht und sagt: „Das bin ich für euch.“ Wie er beim letzten Abendmahl das Brot nimmt, bricht und gibt, so wird es ihm noch ergehen. Was er beim seinem letzten Mahl tut, tut er im vollen Wissen und Bewusstsein dessen, was ihm bevorsteht. „Ich habe mich sehr danach gesehnt, vor meinem Leiden dieses Paschamahl mit euch zu essen" (Lk 22,15), hatte er zu Beginn des Mahles zu seinen Jüngern gesagt.

An diesem Abend noch wird er von den Häschern und Schergen genommen und abgeführt. Am nächsten Tag wird der Stab über ihn gebrochen, und am Kreuz wird er selbst vom Tod gebrochen. Von Gott seinem Vater aber wird er gegeben: in die Welt, in die Hände der Menschen, in den Tod. Damit alle Welt durch ihn das Leben hat, damit die Menschen Erlösung und Befreiung erfahren, damit der Tod selbst des Todes sterbe. Er tut dies alles, weil er die Seinen liebt bis zum letzten Ende und bis zur Vollendung (vgl. Joh 13,1).

Was Jesus am Gründonnerstag bei seinem letzten Mahl im Kreis seiner Jünger mit Brot und Wein tut, ist genau das, was mit ihm am Karfreitag geschehen wird. Es ist das, was immer dann geschieht, wenn zu seinem Gedächtnis Brot und Wein genommen, gebrochen und gegeben werden. In dem kleinen Stück Brot, das er dem vor ihm knienden Lieblingsjünger reicht, und im Kelch mit Wein gibt er sich hier schon ganz: sein Leben und seine Existenz, seine Geschichte und seine Lebenskraft, damit die anderen das Leben haben. Darin wird die Verheißung Jesu wahr: „Ich bin das lebendige Brot, das vom Himmel herabgekommen ist. Wer von diesem Brot isst, wird in Ewigkeit leben. Das Brot, das ich geben werde, ist mein Fleisch, ich gebe es hin für das Leben der Welt" (Joh 6,51).

Gemeinschaft

„Ich habe mich sehr danach gesehnt, vor meinem Leiden dieses Paschamahl mit euch zu essen. Denn ich sage euch: Ich werde es nicht mehr essen, bis das Mahl seine Erfüllung findet im Reich Gottes" (Lk 22,15–16), sagt Jesus zu seinen Jüngern am Beginn seines letzten Mahles mit ihnen. Mahlhalten mit den Menschen, mit seinen Jüngern, mit Pharisäern und Schriftgelehrten, aber vor allem auch mit Sündern und Ausgestoßenen gehörte wesentlich zur Sendung Jesu. Er suchte die Gemeinschaft mit den Menschen, um ihnen im gemeinsamen Mahl schon etwas aufleuchten lassen von der Herrlichkeit des Reiches Gottes, das er immer wieder mit einem großen Hochzeitsmahl verglichen hat. Im Mahl wird Gemeinschaft gestiftet und gefeiert: Gemeinschaft der Menschen untereinander; und wenn Jesus mit den Menschen Mahl gehalten hat, auch Gemeinschaft zwischen Gott und den Menschen. Der Auferstandene gibt sich seinen Jüngern schließlich auch wieder zu erkennen, indem er mit ihnen isst und trinkt.

So kommt es auch nicht von ungefähr, dass die Darstellung des letzen Abendmahles bei der Lohrer Karfreitagsprozession als Figurengruppe vorgestellt wird. Es ist die einzige Figurengruppe außer der Pietà. Beim Letzten Abendmahl wird Jesus in der Gemeinschaft mit dem Jünger, den er liebte, gezeigt. Dieser Jünger steht stellvertretend für die Gemeinschaft der Jünger Jesu, aber auch für alle Glaubenden. Jesus wendet sich ihm zu, wie er sich jedem Menschen zuwendet, und der Jünger ist voll Erwartung auf das, was Jesus ihm reicht. Denn mit dem kleinen Stück Brot, das Jesus reicht, und dem Schluck Wein aus dem Kelch wird Gemeinschaft gestiftet. Eine Gemeinschaft, die über den bevorstehenden Tod Jesu hinaus bestehen wird. Es ist eine Gemeinschaft für das ewige Leben, denn wer Jesu Fleisch isst und sein Blut trinkt, hat das ewige Leben und wird von ihm auferweckt werden am letzten Tag (vgl. Joh 6,54). Es ist eine unverbrüchliche Gemeinschaft mit Jesus und dem Vater, die hier geschenkt wird: „Wer mein Fleisch isst und mein Blut trinkt, der bleibt in mir und ich bleibe in ihm. Wie mich der lebendige Vater gesandt hat und wie ich durch den Vater lebe, so wird jeder, der mich isst, durch mich leben“ (Joh 6,56–57).

II. JESUS AM ÖLBERG

Getragen von Mitgliedern der Schreiner-, Glaser- und Drechslerinnungen sowie den Modellschreinern und verwandten Berufen.

Aus dem Markus-Evangelium

„Sie kamen zu einem Grundstück, das Getsemani heißt, und er sagte zu seinen Jüngern: Setzt euch und wartet hier, während ich bete. Und er nahm Petrus, Jakobus und Johannes mit sich. Da ergriff ihn Furcht und Angst, und er sagte zu ihnen: Meine Seele ist zu Tode betrübt. Bleibt hier und wacht! Und er ging ein Stück weiter, warf sich auf die Erde nieder und betete, dass die Stunde, wenn möglich, an ihm vorübergehe. Er sprach: Abba, Vater, alles ist dir möglich. Nimm diesen Kelch von mir! Aber nicht, was ich will, sondern was du willst soll geschehen. Und er ging zurück und fand sie schlafend. Da sagte er zu Petrus: Simon, du schläfst? Konntest du nicht einmal eine Stunde wach bleiben? Wacht und betet, damit ihr nicht in Versuchung geratet. Der Geist ist willig, aber das Fleisch ist schwach. Und er ging wieder weg und betete mit den gleichen Worten. Als er zurückkam, fand er sie wieder schlafend, denn die Augen waren ihnen zugefallen; und sie wussten nicht, was sie ihm antworten sollten. Und er kam zum dritten Mal und sagte zu ihnen: Schlaft ihr immer noch und ruht euch aus? Es ist genug. Die Stunde ist gekommen; jetzt wird der Menschensohn den Sündern ausgeliefert. Steht auf, wir wollen gehen! Seht, der Verräter, der mich ausliefert, ist da."

Mk 14,32–42

Aus dem Hebräerbrief

„Als er auf Erden lebte, hat er mit lautem Schreien und unter Tränen Gebete und Bitten vor den gebracht, der ihm aus dem Tod retten konnte, und er ist erhört worden."

Hebr 5,7

Verlassen

Drei Jünger, Petrus, Jakobus und Johannes, nimmt Jesus mit sich auf den Ölberg, dass sie bei ihm blieben, mit ihm wachten und beteten. Er lässt sie zurück, und sie schlafen einen Steinwurf von ihm entfernt ein. Dieser Steinwurf ist aber eine schier unüberbrückbare Distanz. Es ist weniger eine in Metern messbare Strecke als vielmehr ein unauslotbarer tiefer innerer Graben. Würden die Jünger auch direkt bei Jesus sein, neben ihm, wären sie ihm auch nicht näher. In ihrer inneren Abwesenheit, in ihrem Überfordertsein von der Situation und den Geschehnissen des Abends sind sie – egal wo sie jetzt auch sein mögen – unendlich weit von ihm entfernt. Deshalb schlafen sie ein. Verlassen und allein betet Jesus, der sich sonst auch immer wieder in die Einsamkeit zum Gebet zurückgezogen hatte. Jetzt an diesem Abend hätte er die Nähe seiner Begleiter nötig gehabt. Sie verschlafen aber diesen existenziellen Moment. Zweimal weckt er seine Begleiter, und jedes Mal schlafen sie doch wieder ein.

Die Verlassenheit Jesu am Ölberg, wie sie die Evangelien schildern, wird bei dieser Figur der Lohrer Karfreitagsprozession noch einmal gesteigert. Schliefen dort die Jünger nur einen Steinwurf von Jesus in seinem Gebetsringen entfernt, ist er hier völlig allein am Ölberg. Keine Menschenseele, die er wecken könnte, auch kein Engel, der ihm entgegenkommt und ihm neue Kraft geben würde (vgl. Lk 22,43). Nur ein kalter Fels vor ihm, und auf diesem der Kelch des Leidens, das ihm bevorsteht. Er ist aufgefordert, ihn zu ergreifen. Keine Sicherheit wird ihm gegeben, kein aufmunterndes Wort, kein Trost, auch kein sprachloses „Es wird schon werden" – von niemandem. Alleine am Ölberg: nur Jesus, der Kelch des Leidens – und der Wille des Vaters, der ihm aber auch keine Antwort gibt. Trotzdem aber hört er nicht auf zu beten. In seiner Verlassenheit sucht er das Gespräch mit seinem Gott und Vater. Wer so betet, ist nicht allein – auch wenn er anscheinend keine Antwort bekommt. Wer so betet, weiß einen Gott über sich –

so unbegreiflich er auch für ihn sein mag. Diese Abgründigkeit des Gebetes Jesu mit seinem Gott und Vater bringt der Verfasser des Hebräerbriefes eindrücklich ins Wort: „Als er auf Erden lebte, hat er mit lautem Schreien und unter Tränen Gebete und Bitten vor den gebracht, der ihn aus dem Tod retten konnte“ (Hebr 5,7). Trotz dieser Eindrücklichkeit konnte der Verfasser des Hebräerbriefes das Schweigen Gottes am Ölberg und die Ausweglosigkeit des Geschehens wohl selbst nicht aushalten, denn er fügt gleich hinzu: „und er ist erhört worden.“ Dazwischen liegt aber noch der ganze Karfreitag mit seinen unmenschlichen und brutalen Geschehnissen. Dazwischen stehen Kreuz und Tod und Grab. Dazwischen steht die Grabesruhe des Karsamstags. Das gilt es auszuhalten.

Ergeben

Es gibt immer wieder im Leben Entscheidungen, die ein Mensch alleine treffen, verantworten und dann auch tragen muss. Und es sind immer nicht die leichten, sondern die schweren und existenziellen Entscheidungen. Die Entscheidungen, die das Leben zuinnerst betreffen; gewissermaßen Entscheidungen auf Leben und Tod. Solche Entscheidungen gehören zum Leben dazu, und die Momente, in denen sie getroffen werden müssen, sind die einsamsten im Leben, so nah auch Menschen sein mögen, die es gut mit einem meinen, die helfen und beraten können. Existenzielle Entscheidungen muss jeder für sich treffen: Das heißt dann eben innerlich einsam und allein. Existenzielle Entscheidungen sind immer einsame Entscheidungen, die auch niemand abnehmen kann. Auch wenn man dann einen dahinterliegenden Plan erkannt hat, wenn man sich eins weiß mit dem Willen Gottes in einer solchen Entscheidung – sie wird dadurch nicht leichter werden. Sie will getroffen und getragen werden. Und dennoch ist eine solche Entscheidung, wenn sie denn wirklich getroffen wird, kein schicksalsergebenes Dreingeben, sondern ein aktives Annehmen und Tragen. Nur wenn eine solche Entscheidung wirklich getroffen wird, wenn bevorstehendes und unumgängliches Leid angenommen und nicht nur erduldet wird, kann selbst in Situationen des Abbruchs und des Sterbens neues Leben aufbrechen.

Jesus ergibt sich in der Einsamkeit am Ölberg nicht in ein dunkles und blindes Schicksal, sondern in den Willen seines Vaters, von dessen Liebe er sich auch jetzt getragen weiß – gerade darum ringt er in seiner Entscheidung. Der Vater will Heil und Leben für alle, und das kann es nicht als billige Erlösung geben, die muss er selbst schaffen durch seinen Sohn. „Denn Gott hat die Welt so sehr geliebt, dass er seinen einzigen Sohn hingab, damit jeder, der an ihn glaubt nicht zugrunde geht, sondern das ewige Leben hat" (Joh 3,16).

Entschlossen

Bei der Darstellung Jesu am Ölberg der Lohrer Karfreitagsprozession ist Jesus eingefangen im Moment der Entscheidung. Jesus schaut aus nach dem, was vor ihm liegt, und er packt die Sache an. Sein Blick ist auf den Kelch vor ihm auf dem Felsblock gerichtet und gleichzeitig auch über diesen Kelch hinaus auf das, was er bedeutet. Das Gesicht selbst zeigt bereits die Härte der Entschlossenheit. Die Hände greifen schon nach dem Kelch, haben ihn aber noch nicht berührt. Ein letztes Innehalten, wenn auch kein Zögern mehr. Es ist das gewahr werden der Tragweite und der Bedeutung der Entscheidung, die er jetzt trifft. Es ist der letzte Moment der Entscheidung, verbunden mit der Bitte an den Vater: „Nimm diesen Kelch von mir!" (Mk 14,36). Es ist das Bewusstwerden dessen, was die Zustimmung zum Plan Gottes bedeutet: „Aber nicht mein, sondern dein Wille soll geschehen" (Lk 22,42). So geht der Blick über den Kelch hinaus und sieht schon das Kreuz.

Es taucht die Ahnung auf, wie schwer es ist und welches innere Ringen es bedeutet, welches abgrundtiefe Vertrauen nötig ist, bis ein Mensch einen solchen Satz von Dietrich Bonhoeffer wirklich sprechen kann:

„Und reichst du uns den schweren Kelch, den bittern,
des Leids, gefüllt bis an den höchsten Rand,
so nehmen wir ihn dankbar ohne Zittern
aus deiner guten und geliebten Hand."

Im Ringen des Betens hat Jesus Gewissheit erlangt, und sein Blick geht weiter. Am Ende der getroffenen Entscheidung steht für ihn die unerschütterliche Gewissheit, dass der vorgesehene Weg der richtige ist. Der einzige Weg nämlich, auf dem das Leben in Fülle zu allen Menschen kommen wird – wenn auch durch Leiden, Kreuz und Tod hindurch. Deshalb kann er seine Jünger zum letzten Mal wecken mit den festen Worten „Steht auf, wir wollen gehen!" (Mt 26,46). Der Blick Jesu über den randvoll gefüllten Kelch des Leidens vor ihm auf dem Felsblock im Garten Getsemani geht jetzt nicht nur bis zum Kreuz, sondern bis in die Ostersonne vor der offenen Grabeshöhle.

Preise, Zunge, und verkünde

Preise, Zunge, und verkünde
den erhabnen Waffengang;
auf das Kreuz das Siegeszeichen,
singe den Triumphgesang.
Singe, wie der Welt Erlöser
starb und dennoch Sieg errang.

Denn verblendet aß sich Adam
einst vom Baume das Gericht;
doch der Schöpfer voll Erbarmen
wollte sein Verderben nicht
und hat selbst den Baum erkoren,
der den Fluch des Baumes bricht.

Gottes Plan, uns zu erlösen,
hat verlangt die Opfertat,
und des Vaters ew'ge Weisheit
macht zuschanden den Verrat
und verlieh barmherzig Heilung,
wo der Feind verwundet hat.

So ward in der Zeiten Fülle
uns gesandt des Vaters Sohn,
er, der Schöpfer aller Welten,
stieg herab vom Himmelsthron
und ward Fleisch und ward geboren
und ward einer Jungfrau Sohn.

Als nach dreißig Erdenjahren
für den Herrn die Stunde kam,
dass er unsres Heiles wegen
Tod und Leiden auf sich nahm,
wurde er erhöht am Kreuze,
dargebracht als Gotteslamm.

Seht den Essig, seht die Galle.
Dornen, Nägel, Speer voll Wut
seinen zarten Leib durchbohren,
Wasser strömt hervor und Blut;
Erde, Meere, Sterne, Welten
werden rein durch solche Flut.

Nach: „Pange, lingua, gloriosi" des Venantius Fortunatus, gestorben um 600.

III. DIE GEFANGENNAHME JESU

Getragen von den Wagnern, der Schmiede- und Schlosserinnung, den Metall- und Eisenarbeitern sowie den Kraftfahrzeugmechanikern.

Aus dem Lukas-Evangelium

„Da kam eine Schar Männer; Judas, einer der Zwölf, ging ihnen voran. Er näherte sich Jesus, um ihn zu küssen. Jesus aber sagte zu ihm: Judas, mit einem Kuss verrätst du den Menschensohn? Als seine Begleiter merkten, was ihm drohte, fragten sie: Herr, sollen wir mit dem Schwert dreinschlagen? Und einer von ihnen schlug auf den Diener des Hohenpriesters ein und hieb ihm das rechte Ohr ab. Jesus aber sagte: Hört auf damit! Und er berührte das Ohr und heilte den Mann. Zu den Hohenpriestern aber, den Hauptleuten der Tempelwache und den Ältesten, die vor ihm standen, sagte Jesus: Wie gegen einen Räuber seid ihr mit Schwertern und Knüppeln ausgezogen. Tag für Tag war ich bei euch im Tempel und ihr habt nicht gewagt, gegen mich vorzugehen. Aber das ist eure Stunde, jetzt hat die Finsternis die Macht. Darauf nahmen sie ihn fest, führten ihn ab und brachten ihn in das Haus des Hohenpriesters."

Lk 22,47–54

Aus der eigenen Hand gegeben

Es scheint Ruhe eingekehrt zu sein. Der Tumult der Verhaftung ist vorbei. Jesus ist gefesselt und wird abgeführt. Er wird überführt zu denen, die seine Verhaftung angeordnet haben. Die Jünger sind nach einem letzten – scheinbar heroischen – Aufbäumen geflohen. Jesus selbst hatte es mit den Worten des Propheten Sacharja angekündigt: Seine Herde würde zerstreut werden und der Hirte getötet (vgl. Mt 26,31). Er hat damit aber auch seine Jünger aus der Hand gegeben, denn keiner von ihnen sollte verloren gehen (vgl. Joh 17,12), sondern alle sollten einmal dort mit ihm beim Vater sein (vgl. Joh 17,24).

Es ist Ruhe eingekehrt, aber es ist eine trügerische Ruhe. Die Ruhe nach einem Handstreich, der auch ganz anders für die Häscher hätte ausgehen können – sie haben wohl mit mehr Widerstand gerechnet, deshalb kamen sie in großer Zahl mit Fackeln, Knüppeln, Lanzen und Schwertern. Es ist auch die Ruhe vor dem, was Jesus noch bevorsteht.

Dessen ist er sich bewusst: Das ist der Anfang vom Ende. Dass es kein gutes Ende nach menschlichem Ermessen geben würde, dafür braucht es weder hellseherische Fähigkeiten noch übernatürliches göttliches Wissen. Dafür genügt es für Jesus, wachen Auges durch das Leben zu gehen, die Widerstände, die Auseinandersetzungen und Reibereien, die Aggressionen und den unverborgenen und sich steigernden Hass der Autoritäten wahr und ernst zu nehmen. Wenn er nun mit gebunden Händen abgeführt wird, steht ihm das Kreuz vor Augen, auf das sein Leben nicht erst seit dieser Nacht am Ölberg zuläuft. Es steht ihm auch der Kelch vor Augen, den ihm sein Vater zu trinken darreicht. Und es steht ihm das Ziel vor Augen, die Antwort auf das große Warum und Wozu: Für uns Menschen und zu unserem Heil ist er vom Himmel herabgestiegen, Mensch geworden. Dafür hat er gelebt und dafür wird er sterben: für uns. Dafür hat er letztlich alles aus der Hand gegeben.

Geblieben ist die Einsamkeit. Aus der Einsamkeit Jesu zwischen den schlafenden Jüngern im Garten ist jetzt die Einsamkeit zwischen den

Häschern auf dem Weg in die Stadt geworden. Diese Einsamkeit macht die Figur der „Gefangennahme Jesu" der Lohrer Karfreitagsprozession eindrücklich deutlich. Nicht einmal einen der Häscher, die ihn abführen, hat man ihr beigegeben. Jesus hat alles aus der Hand gegeben. Das ist sein Weg von Anfang an: Er gibt sich aus der Hand. Sein Leben ist eine fulminante steile Karriere nach unten. Er ist so frei, alles hergeben zu können und nichts für sich ängstlich zurückhalten zu müssen. Ein alter Hymnus, den Paulus in seinem Brief an die Philipper überliefert, besingt diesen unheimlichen, aber für uns heilsamen Abstieg: „Er war Gott gleich, hielt aber nicht daran fest, wie Gott zu sein, sondern er entäußerte sich und wurde wie ein Sklave und den Menschen gleich. Sein Leben war das eines Menschen; er erniedrigte sich und war gehorsam bis zum Tod, bis zum Tod am Kreuz" (Phil 2,6–8).

In der Hand der Menschen

Er, der alles aus der Hand gegeben hat, ist nun in der Hand der Menschen. Er kann nichts mehr geben außer sein Leben, weil sie ihm die Hände gebunden haben. Es sind die Hände, die die Unberührbaren berührt und die an den Rand gestellten und die Ausgestoßenen wieder in die Mitte der menschlichen Gemeinschaft zurückgeholt haben. Es sind die Hände, die die Gebeugten aufgerichtet und die am Boden liegenden wieder aufgehoben haben. Es sind die Hände, die ihre Finger auf Wunden gelegt und geheilt haben, die die Irrenden auf den Weg des Lebens in Fülle geführt haben. Es sind die Hände, durch die die Menschen, die sich von ihnen berühren ließen, die Zärtlichkeit und die Nähe Gottes zu spüren bekommen haben.

Solche Hände aber sind gefährlich, weil sie bestehende Ordnungen durcheinanderbringen, in denen man sich – auch auf die Kosten anderer – so gut eingerichtet hat. Sie brechen Grenzen auf, die gezogen und festzementiert wurden, die klar definieren, wer dazugehört und wer nicht. Sie heilen ja selbst noch den Gegner, dem im Handgemenge das Ohr abgeschlagen wurde. Sie machen deutlich, dass kein Mensch Gott für sich und die Seinen allein in Anspruch nehmen kann, weil Gott der Gott aller Menschen ist.

Jesus, der seine Hände zum Aufrichten und Aufheben, zum Berühren und Führen, zum Befreien und Heilen benutzt hat, ist nun in der Hand der Menschen, die das unterbinden wollen. In den Händen derer, die vor Gewalt und Zerstörung nicht zurückschrecken, für die Schlagen und Niederhalten erlaubte und notwendige Mittel sind, das Leben zu ordnen und zu gestalten. Wer in die Hände solcher Menschen gerät, der hat nicht mehr viel zu erwarten. Wer in die Hände solcher Menschen gerät und sich nicht in ihre Ordnungen und Vorstellungen einfügt, ihnen nicht in die Hände spielt, der ist auf seinem letzten Weg. Er wird gebunden und weggeführt, wohin er nicht will. So wird das Leben ausweglos.

Jesus aber, der in der Hand seiner Häscher ist, dem die Hände gebunden sind und der abgeführt wird, geht diesen Weg aufrecht. Er lässt sich nicht unterkriegen und kleinhalten. Er geht aufrecht und hat den Blick erhoben. In seinen Augen steht die Frage des bedrängten Psalmisten: „Ich hebe meine Augen auf zu den Bergen: Woher kommt mir Hilfe?“ (Ps 121,1). Wie der Psalmist weiß auch Jesus, woher ihm wirkliche und letzte Hilfe kommen wird. Nicht von den Menschen, die meinen, ihn in der Hand zu haben, sondern von Gott allein, in dessen Hand er sich gehalten und geborgen weiß: „Meine Hilfe kommt vom Herrn, der Himmel und Erde geschaffen hat“ (Ps 121,2).

In der Hand Gottes

In diesem Vertrauen, dass seine Hilfe von Gott kommen wird, lässt Jesus sich abführen und geht seinen Weg bis zum Tod am Kreuz. Nur scheinbar ist er, der alles aus der Hand gegeben hat, in die Hand der Menschen gefallen. Er ist vielmehr in Gottes Hand. Und tiefer kann man nicht fallen – als in die Hand Gottes, die auffängt, rettet, trägt und wieder emporhebt. Das beschreibt auch der zweite Teil des alten Philipper-Hymnus, der nicht am Kreuz, dem Tiefpunkt der steilen Karriere Jesu nach unten, endet: „Darum hat ihn Gott über alle erhöht und ihm den Namen verliehen, der größer ist als alle Namen, damit alle im Himmel, auf der Erde und unter der Erde ihre Knie beugen vor dem Namen Jesu und jeder Mund bekennt: «Jesus Christus ist der Herr» – zur Ehre Gottes, des Vaters" (Phil 2,9–11).

Tiefer kann keiner fallen als bis in die offenen Hände Gottes. In diesem Vertrauen kann Jesus seinen Weg gehen bis ans Ende. In diesem Vertrauen dürfen auch wir den Sprung im Glauben wagen, den Sprung in die offenen Hände Gottes. Diese offenen Hände bewahren möglicherweise nicht vor Zweifel und Skepsis; auch Jesus ruft in seiner Verlassenheit am Kreuz nach Gott: „Mein Gott, mein Gott, warum hast du mich verlassen?" (Mk 15,34). Sie verhindern auch nicht Leid und Tod; auch Jesus stirbt unter Schmerzen am Kreuz. Aber all das ist kein abgrundtiefer Sturz ins Nichts, sondern ein Fall in die offenen und liebenden Hände Gottes, die Hände, die das Leben gebildet haben, die auch das Leben in Fülle schenken werden. Wer alles, letztlich sich selbst aus der Hand gibt, wird aufgefangen von Gottes Hand. Wer in die Hände der Menschen geraten ist und von ihnen dann fallen gelassen wird, wird auch nicht tiefer fallen als in Gottes Hände. Wer aber in Gottes Hand fällt, wird aufgefangen und findet das Leben in Fülle.

IV. VERSPOTTUNG IM WEISSEN GEWAND

Getragen von der Messerschmiede-, Seiler- und Häfner-innung, von den Uhrmachern, Feinmechanikern und Elektrikern sowie von Angehörigen der medizinischen Berufe.

Aus dem Matthäus-Evangelium

„Dann spuckten sie ihm ins Gesicht und schlugen ihn. Andere ohrfeigten ihn und riefen: Messias, du bist doch ein Prophet! Sag uns: Wer hat dich geschlagen?"

Mt 26,67–68

Aus dem Ersten Petrusbrief

„Er hat keine Sünde begangen und in seinem Mund war kein trügerisches Wort. Als er geschmäht wurde, schmähte er nicht; als er litt, drohte er nicht, sondern überließ seine Sache dem gerechten Richter. Er hat unsere Sünden mit seinem eigenen Leib an das Holz des Kreuzes getragen, damit wir tot seien für die Sünden und für die Gerechtigkeit leben. Durch seine Wunden sind wir geheilt."

1 Petr 2,22–24

Aufrecht und aufrichtig

Die Erniedrigung durch Spott und Hohn, die darauf zielt, den Verspotteten zu demütigen, klein und gering zu machen, ihm bewusst zu machen, dass er eigentlich ein geringstes Gar-Nichts ist, verfehlen bei Jesus ihre perfide Wirkung. Die Verspottung und die Demütigungen scheinen ihn nicht kleiner zu machen, sondern größer, sie scheinen ihn nicht zu beugen, sondern aufzurichten, sie scheinen ihn nicht zu zerbrechen, sondern in seiner ganzen Würde und Größe vorzustellen; so zeigt es die vierte Figur der Lohrer Karfreitagsprozession.

Ob allem Spott und aller Schmähung – er senkt seinen Kopf nicht. Ob aller Versuche, ihn seiner Würde zu berauben – er gibt seine Würde nicht auf.

In seinem aufgerichteten Stehen wird die Aufrichtigkeit seiner Person, seiner Sendung und seines Lebens deutlich und sichtbar.

In aller Erniedrigung wird seine wahre Größe als Gottessohn deutlich. Die Würde, die man ihm nehmen will, gibt er aber nicht preis. Da seine Würde nicht von dieser Welt ist, kann sie ihm diese Welt nicht nehmen.

Die Unmenschlichkeit, die ihm begegnet, lässt ihn nicht sich selbst vergessen. Die Schmähungen und Beleidigungen, die ihn treffen, verleiten ihn nicht, sich zu wehren und mit gleicher Münze zurückzugeben: „Als er geschmäht wurde, schmähte er nicht" (1 Petr 2,23). Es wird deutlich: Seine Peiniger sind es, die sich selbst demütigen, die ihre eigene Würde als Menschen aufgeben und sich nicht mehr wie Menschen, sondern wie Tiere gebärden. Sie haben ihre Würde preisgegeben in ihrem tierischen und unmenschlichen Tun. Er gibt seine Würde nicht preis und begibt sich nicht auf gleiches tierisches Niveau, indem er seine Peiniger beschimpfen würde. Er trägt und erträgt. Dies alles aber erdrückt und beugt ihn nicht. Er verwünscht nicht, er droht nicht. „Als er litt, drohte er nicht, sondern überließ seine Sache dem gerechten Richter" (1 Petr 2,23). Dass er diesen gerechten Richter in seinem Fall nicht auf Erden finden wird, ist ihm bewusst. In seinem Fall geht es nicht um Recht und Gerechtigkeit, es geht nicht um Schuld und Wahrheit. Die Richter, die über ihm zu Gericht sitzen, haben ihr Urteil gefällt – nicht auf der Grundlage des Rechts, sondern durch persönliches, scheinbar religiöses und vor allem machtpolitisches Kalkül. Vor diesem aufrechten und aufrichtigen Angeklagten wird die Unaufrichtigkeit und Korruptheit der Richter deutlich. Vor seiner unnehmbaren Würde werden die Würdelosigkeit, der Sadismus und die Unmenschlichkeit einer entfesselten Soldateska ersichtlich. Der gerechte Richter, dem er seine Sache überlässt, ist Gott selbst, der Vater. Von ihm her hat er seine Würde. Von ihm her und aus der Beziehung zu ihm hat er die Kraft, aufrecht stehen zu können. Im Gehorsam dem Vater und dessen Sendung gegenüber erweist er sich als wahrer Sohn. Hier wird Gott verhöhnt und verspottet. Gott aber lässt sich nicht herab, es dem Pöbel gleichzutun. Er bleibt Gott, er hält es aus und er hält stand. Spott und Hohn laufen sich an ihm tot.

Ungebrochenes Weiß

Das strahlende Weiß seines Gewandes wird nicht besudelt durch Spott und Unflat, die über ihm ausgegossen werden.

Wer mit Schlamm und Dreck, mit Spott und Hohn um sich spritzt, beschmutzt und besudelt sich selbst. Es fällt auf den zurück, der damit zu werfen begonnen hat. Der Hohn und der Speichel, der Jesus von seinen Spöttern her trifft, trifft ihn nicht in seiner Würde und erniedrigt ihn nicht. Sein Gewand bleibt trotz allen Spottes und Hohns, trotz aller Häme und allen Unflats, trotz des Schmutzes und des Speichels weiß.

Das weiße Gewand kann auch erinnern an das christliche Taufkleid. Damit wird ein Bogen geschlagen von der Passion Jesu zum Leben eines jeden Christen heute. Die Taufe gibt Anteil an dem Leben, das

Jesus durch sein Leiden, seinen Tod und seine Auferstehung erworben hat. Es ist ein neues, befreites und reines Leben, das das weiße Taufkleid symbolisiert. Die Offenbarung des Johannes sieht die weißen Gewänder der Christen im Blut des Opferlammes Christi reingewaschen. Es ist eine große Schar von Menschen aus allen Nationen, Stämmen, Völkern und Sprachen, die aus der großen Bedrängnis kommen, die für ihren Glauben an Jesus Christus Unverständnis und Kopfschütteln, Spott und Schmach, letztlich sogar Verfolgung erdulden (vgl. Offb 7,14). Eine Bedrängnis, in die Christen auch heute geraten, nicht nur in der offenen Verfolgung, sondern auch im Unverständnis vermeintlich aufgeklärter und säkular denkender Mitmenschen, die für jeden Glauben nur ein müdes und überhebliches Kopfschütteln übrig haben. Diese Missachtung, aber auch die offene Verachtung und Verfolgung, offener Spott und Verunglimpfung nehmen einem Christen nicht die Würde seiner Taufe, die das reine weiße Kleid symbolisiert. Dies kann an ihm abgleiten, ohne dass es ihn besudeln muss. Es muss nicht an seiner Würde kratzen. Diese Würde des weißen Gewandes kann nicht von außen beschmutzt werden. Seien die Spötter und Kopfschüttler auch noch so nahe, in der engsten Nachbarschaft und im Bekanntenkreis, ja sogar in der eigenen Familie. Das Weiß dieses Gewandes kann nur gebrochen und seine Reinheit kann nur beschmutzt werden, wenn es der Träger selbst zulässt. Wenn er seine Würde preisgibt, wenn er sich auf das gleiche Niveau begibt und mit gleicher Münze zurückgibt oder – schlimmer noch – ins gleiche Horn stößt.

Der im weißen Gewand verspottete und verhöhnte Jesus kann in dieser Darstellung, die seine Würde und Größe zum Ausdruck bringt, auch heute eine Hilfe für bedrängte Christen sein.

Das Gewand bleibt weiß, weil er den Schlamm und Dreck, weil er Spott und Hohn, erträgt und nicht zurückgibt. Er gibt sich selbst nicht auf und seine Würde nicht Preis, wenn er auch den anderen preisgegeben erscheint.

Würde in Leid und Schmach

Die Versuche, einem Menschen seine Würde zu nehmen, fallen auf diejenigen zurück, die dies tun – sie geben ihre eigene Würde preis. Denn sie handeln nicht wie Menschen, sie gebärden sich vielmehr wie Tiere.

Jesus sind im Angesicht seiner Spötter und Peiniger alle Möglichkeiten genommen, sich körperlich zu wehren, und er würde es auch nicht tun.

Die Hände sind ihm auf den Rücken gebunden. Aber auch seinen Mund tut er nicht auf. Worte werden nichts bringen. Sie könnten den Spott und den Hass nur noch weiter anstacheln. Er schweigt wie der wahre Knecht Gottes, der misshandelt und niedergedrückt, wie ein Lamm, das zum Schlachten geführt wird, und wie das Schaf angesichts seiner Scherer den Mund nicht auftut (vgl. Jes 53,7).

Er gibt sich hin, aber nicht geknickt und gebrochen, nicht gebeugt und kraftlos, nicht schicksalsergeben und hoffnungslos. Er leidet nicht bloß passiv. Er nimmt viel mehr auf sich und erträgt, um dem einen Sinn zu geben, was ihm widerfährt. Die Würde kann ihm nicht genommen werden, von niemandem. Und er wird seine Würde nicht preisgeben. So kann er in aller Schmach und allem Spott, unter Unflat und Speichel gerade und aufrecht stehen. Das Weiß seines Gewandes leuchtet ungebrochen und gibt Hoffnung und Kraft für den, der ebenso im Mittel- und Zielpunkt von Spott und Hohn steht.

Da ist dann das erhobene Haupt kein Ausdruck von Trotz und Unbeugsamkeit, sondern vom Bewusstsein seiner eigenen Würde, einer von Gott her geschenkten Würde, die von niemandem genommen werden kann, die ich aber selbst preisgeben kann, wenn ich nicht ihr entsprechend lebe. Dann ist die aufrechte und gerade Körperhaltung nicht Ausdruck vermessenen Stolzes, sondern Geschenk der Hoffnung, dass Gott ihn hält und stützt, weil er an ihm sein Wohlgefallen hat (vgl. Jes 42,1).

O du mein Volk, was tat ich dir?

O du mein Volk, was tat ich dir?
Betrübt ich dich? Antworte mir!
Ägyptens Joch entriss ich dich,
du legst des Kreuzes Joch auf mich.

Ich führte dich durch vierzig Jahr
und reichte dir das Manna dar;
das Land des Segens gab ich dir,
und du gibst mir das Kreuz dafür.

Was hab ich nicht für dich getan?
Pflanzt dich als meinen Weinberg an,
und du gibst bittern Essig mir,
durchbohrst des Retters Herz dafür.

Ich führte dich durchs Rote Meer,
und du durchbohrst mich mit dem Speer.
Der Heiden Macht entriss ich dich,
du übergabst den Heiden mich.

Ich nährte in der Wüste dich,
und du, du lässt verschmachten mich;
gab dir den Lebensquell zum Trank,
und du gibst Galle mir zum Dank.

Ich schlug den Feind, gab dir sein Land;
und grausam schlägt mich deine Hand.
Das Königszepter gab ich dir,
du gibst die Dornenkrone mir.

Ich gab dir Gnaden ohne Zahl.
du schlägst mich an des Kreuzes Pfahl.
o du mein Volk, was tat ich dir?
Betrübt ich dich? Antworte mir!

Heiliger Gott! Heiliger starker Gott!
Heiliger, Unsterblicher, erbarm dich unser!

Markus Fidelis Jäck 1817, Übertragung der Improperien aus der Liturgie des Karfreitags.

V. JESUS AN DER GEISSELSÄULE

Getragen von der Schuhmacherinnung und den Orthopädie-technikern, der Sattlerinnung, den Polsterern, Raumgestaltern und Fliesenlegern sowie von der Kolpingsfamilie.

Aus dem Markus-Evangelium

„Darauf ließ Pilatus, um die Menge zufrieden zu stellen, Barabbas frei und gab den Befehl, Jesus zu geißeln und zu kreuzigen."

Mk 15,15

Aus dem Buch des Propheten Jesaja

„Ich hielt meinen Rücken denen hin, die mich schlugen, und denen, die mir den Bart ausrissen, meine Wangen. Mein Gesicht verbarg ich nicht vor Schmähungen und Speichel. Doch Gott, der Herr, wird mir helfen; darum werde ich nicht in Schande enden. Deshalb mache ich mein Gesicht hart wie einen Kiesel; ich weiß, dass ich nicht in Schande gerate."

Jes 50,6–7

Erniedrigt

Die Station „Jesus an der Geißelsäule“ lässt an Drastik nichts zu wünschen übrig. Jesus kniet nur mit einem Lendenschurz bekleidet am Boden vor einem Säulenstumpf. Dort ist er angebunden mit Stricken und eisernen Handschellen. Sein Rücken ist waagrecht ausgestreckt, die Arme nach vorn gereckt. Ein ungewöhnliches und irritierendes Bild, das sich von anderen Darstellungen der Geißelung Jesu, die ihn stehend angebunden an einer Säule zeigen, massiv unterscheidet. Diese Station hat wegen ihrer Ungewöhnlichkeit Anstoß erregt und wurde deshalb zu Beginn des 20ten Jahrhunderts für einige Zeit durch eine mehr konventionelle Darstellung Jesu an der Geißelsäule ausgetauscht. Später dann fand sie trotz ihrer Drastik und Brutalität wieder zurück in die Lohrer Karfreitagsprozession.

So ungewohnt diese Darstellung auch erscheint, mit der anscheinend viel zu kurzen Säule, an der niemand stehend angebunden werden kann, so abwegig ist sie eigentlich gar nicht. In einer Seitenkapelle der alten römischen Kirche Santa Prassede wird als Reliquie die Geißelsäule Jesu verehrt. Sie ist eigentlich nur ein Säulenstumpf und ähnlich hoch wie die Geißelsäule der Lohrer Karfreitagsprozession. Über Jahrhunderte hinweg, besonders auch im 17ten und 18ten Jahrhundert, gab es den Brauch, dass Rompilger an dieser Geißelsäule ein Stoffmaßband anhielten und dieses als Berührungsreliquie einer Passionsreliquie mit nach Hause nahmen. Der Vergleich eines solchen am Säulenstumpf in Santa Prassede abgenommenen Maßbandes mit der Geißelsäule der Lohrer Karfreitagsprozession zeigt, dass die in Rom verehrte Geißelsäule sogar noch ein Stück kürzer ist als die der Lohrer Karfreitagsprozession. Dieser niedrige Säulenstumpf macht deutlich, um welche Erniedrigung es bei der Geißelung gehen sollte. Denn darum ging es bei dem brutalen Geschehen der Geißelung: Sie war nicht nur Vorbereitung und Begleitung der Todesstrafe, sondern auch eine eigenständige Strafe mit besonderer Qualität. Sie hatte das

Ziel, den Delinquenten zu erniedrigen und für immer zu zeichnen. Diese Erniedrigung Jesu an der Geißelsäule führt die Lohrer Karfreitagsprozession heute noch eindrücklich vor Augen. Deshalb irritiert sie und ruft Widerstand hervor. Aber das ist auch gut so. Denn es wird gezeigt, wie Menschen einander klein machen und klein halten – nicht nur mit Geißelhieben...

Mann der Schmerzen

Auf der niedrigen Säule ist eine Geißel mit einem Holzgriff und Lederriemen abgelegt. Es stellt sich für den Betrachter die Frage: Ist die barbarische Tortur zu Ende, und wird Jesus bald aus dieser unmenschlichen und erniedrigenden Haltung befreit, oder machen seine Schinder nur eine Pause, um dann mit neuer Kraft wieder fester zuschlagen zu können? Der Rücken Jesu ist voller Striemen und aufgerissener Wunden. Jesus können hier gut die Worte des dritten Liedes vom Gottesknecht aus dem Buch Jesaja in den Mund gelegt werden: „Ich hielt meinen Rücken denen hin, die mich schlugen, und denen, die mir den Bart ausrissen, meine Wangen. Mein Gesicht verbarg ich nicht vor Schmähungen und Speichel. Doch Gott, der Herr, wird mir helfen; darum werde ich nicht in Schande enden. Deshalb mache ich mein Gesicht hart wie einen Kiesel; ich weiß, dass ich nicht in Schande gerate" (Jes 50,6–7). All das ist aber nicht sinnlos. Jesus selbst kennt die vier Lieder vom Gottesknecht, die im Buch des Propheten Jesaja überliefert sind. Sie geben ihm die Möglichkeit, sein eigenes Geschick zu deuten, und seinen Jüngern später eine Hilfe, den Sinn seines Lebensendes zu verstehen. Sie erkennen: Jesus ist der Knecht Gottes.

An der Geißelsäule kniet Jesus als der Mann der Schmerzen, wie ihn das vierte Lied vom Gottesknecht besingt: „Er hatte keine schöne und edle Gestalt, sodass wir ihn anschauen mochten. Er sah nicht so aus, dass wir Gefallen fanden an ihm. Er wurde verachtet und von den Menschen gemieden, ein Mann voller Schmerzen, mit Krankheit vertraut. Wie einer, vor dem man das Gesicht verhüllt, war er verachtet; wir schätzten ihn nicht" (Jes 53,2–3). Dem Gottesknecht aber sind seine Berufung und Sendung bekannt, die er von Gott erhalten hat: „Der Herr hat mich schon im Mutterleib berufen; als ich noch im Schoß meiner Mutter war, hat er meinen Namen genannt ... Er sagte zu mir: Du bist mein Knecht" (Jes 49,1.3). Gott selbst spricht über ihn: „Seht, das ist mein Knecht, den ich stütze, mein Erwählter, an ihm finde ich Gefallen" (Jes 42,1) und zu ihm spricht er: „Ich, der Herr, habe dich aus Gerechtigkeit gerufen, ich fasse dich an der Hand. Ich habe dich geschaffen und dazu bestimmt, der Bund für mein Volk und das Licht für die Völker zu sein: blinde Augen zu öffnen, Gefangene aus dem Kerker zu holen und alle, die im Dunkel sitzen, aus ihrer Haft zu befreien" (Jes 42,6–7). So versteht sich Jesus selbst als der berufene und erwählte Gottesknecht.

Voller Kraft

Noch eines irritiert an der Darstellung der Geißelung Jesu bei der Lohrer Karfreitagsprozession: die Haltung Jesu. Nur auf dem ersten Blick scheint es, als wäre er unter den Schlägen völlig am Ende seiner Kräfte zusammengebrochen. Aber es scheint nur so. Auf die Knie erniedrigt, streckt er seinen Oberkörper und seine Arme nach vorn. Die Stricke und Fesseln, die ihn an die Geißelsäule binden, zwingen ihn jedoch nicht in diese Haltung, sie hängen vielmehr locker durch. Die Haltung Jesu ist unnatürlich und so nicht zu erwarten. Sie ist weder von den Fesseln erzwungen noch einem entkräfteten Zusammenbruch ob der Tortur geschuldet. Vielmehr kniet er hier in einer Haltung, die alle körperliche Kraft beansprucht. Er ist nicht am Ende seiner Kräfte und dem Tode nah, sondern voller Kraft und Leben. Diese Kraft erwächst ihm aus dem Bewusstsein seiner Sendung und aus dem abgrundtiefen Vertrauen, dass Gott ihn nicht hängen lässt, dass er vielmehr der Knecht ist, den Gott selber stützt, der deshalb nicht müde wird und nicht zusammenbricht, bis er auf der Erde das Recht gegründet hat (vgl. Jes 42,1.4). Für ihn ist Gott selbst die Stärke, die ihn das ertragen und ausgehalten lässt (vgl. Jes 49,5). Er weiß: Weil Gott auf und an seiner Seite ist, wird er trotz allem, was ihm angetan wird, wie erniedrigt und entehrt er wird, letztlich doch nicht in Schande und Schmach enden (vgl. Jes 50,7). Dieses Vertrauen in die Nähe und die Hilfe Gottes gibt ihm die Kraft, was er erleidet nicht nur passiv hinzunehmen, sondern aktiv anzunehmen. Was im Rückblick die Menschen über den Knecht Gottes sagen konnten, gilt vor allem über ihn: „Er hat unsere Krankheit getragen und unsere Schmerzen auf sich geladen... Er wurde durchbohrt wegen unserer Verbrechen, wegen unserer Sünden zermalmt. Zu unserem Heil lag die Strafe auf ihm, durch seine Wunden sind wir geheilt... Der Herr lud auf ihn die Schuld von uns allen. Er wurde misshandelt und niedergedrückt, aber er tat seinen Mund nicht auf... Doch der Herr fand Gefallen an seinem zerschlagenen Knecht, er rettete den, der sein Leben als Sühnopfer hingab ... Denn er trug die Sünden von vielen und trat für die Schuldigen ein" (Jes 53,4.5.6–7.10.12).

Die ungewöhnliche Darstellung Jesu an der Geißelsäule der Lohrer Karfreitagsprozession stellt den Betrachtern Jesus als den leidenden Knecht Gottes vor Augen, den Mann der Schmerzen, der leidet zu unserem Heil. Sie zeigt aber auch zugleich, welche Kraft und welches Leben aus dem abgrundtiefen Vertrauen auf Gott wachsen können.

VI. „ECCE HOMO“

Getragen von der Metzgerinnung und den Beschäftigten der Nahrungsmittelgeschäfte.

Aus dem Johannes-Evangelium

„Die Soldaten flochten einen Kranz aus Dornen; den setzten sie ihm auf und legten ihm einen purpurroten Mantel um. Sie stellten sich vor ihn hin und sagten: Heil dir, König der Juden! Und sie schlugen ihm ins Gesicht.

Pilatus ging wieder hinaus und sagte zu ihnen: Seht, ich bringe ihn zu euch heraus; ihr sollt wissen, dass ich keinen Grund finde, ihn zu verurteilen.

Jesus kam heraus; er trug die Dornenkrone und den purpurroten Mantel. Pilatus sagte zu ihnen: Seht, da ist der Mensch!"

Joh 19,2–5

Seht da, der Mensch!

„Seht da, der Mensch!" Mit diesen Worten stellt der römische Statthalter Pilatus den gegeißelten und mit Dornen gekrönten Jesus der Menge in Jerusalem vor. Dieser kurze Satz des Statthalters in der Johannespassion muss keineswegs verächtlich gemeint sein, gewissermaßen als Widerspruch gegen die Göttlichkeit Christi. So wie Pilatus Jesus sieht, kann er gar nicht mehr sehen als den Menschen – keinen König und erst recht keinen Gott. Ein Mensch: geschunden und misshandelt, erniedrigt und gequält. Dennoch steht er voller Würde da. In diesem kleinen Satz stecken sowohl Verwunderung als auch Abscheu.

„Seht da, der Mensch!" Verwunderung: Seht, was ein Mensch ertragen und aushalten kann. Geschunden und geschlagen, verspottet und seiner Würde beraubt, bleich und gebrochen. So steht Jesus da und erträgt. Er tut seinen Mund nicht auf. Er klagt nicht, er klagt nicht an und fordert nicht sein Recht. Wie er so da steht, ist Anklage genug. Anklage gegen die Unmenschlichkeiten in der Welt: Gewalt, Brutalität, Unterdrückung, Lebensfeindlichkeit im Großen und im Kleinen. Seht da, den einen Menschen, und was er trägt und erträgt – für uns.

„Seht da, der Mensch!" Abscheu: Seht, was ein Mensch einem anderen antun kann und wirklich auch antut. Seht, wozu die Menschen fähig sind – wozu wir fähig sind. Wie wir mit einem anderen umgehen. Seht da, der Mensch kann einem Menschen so etwas antun – und wohl auch noch viel mehr! Der entfesselte und ungehemmte Mensch, der meint, nur leben und frei sein zu können auf Kosten der anderen – er ist längst kein Mensch mehr, denn er hat sich vielmehr selbst zum Tier gemacht und ist zum Wolf für den Menschen geworden.

„Seht da, der Mensch!" ist dann aber nicht nur eine Aussage, die in die Vergangenheit gerichtet ist. Es ist nicht nur eine Aussage über Jesus auf seinem Kreuzweg. Es ist eine Aussage, die uns vor Augen stellt, was heute in der Welt Menschen anderen Menschen antun und was heute in unserer Welt Menschen auszuhalten haben. Dabei müssen wir dann nicht einmal in die großen und kleinen Kriegs- und Krisengebiete unserer Welt schauen, um zu sehen, was Menschen Menschen antun und was Menschen zu ertragen haben. Man braucht meist nur vor die eigene Tür zu gehen, dorthin, wo Menschen miteinander umgehen, um zu sehen, wie sie miteinander umgehen und sich aneinander vergehen. So führt ihn Pilatus aus seinem Amtssitz, dem Prätorium, heraus und sagt, dass er keine Schuld an im finde, die eine Verurteilung nötig mache (vgl. Joh 18,38). Pilatus meint, diese Vorführung des Misshandelten könne den Volkszorn gegen Jesus besänftigen, und er käme um das Kreuz herum. Pilatus aber hat die Rechnung ohne die Hohenpriester und ihre Diener gemacht. Der Anblick des Geschundenen besänftigt sie nicht. Sie haben Blut geleckt und fordern nur noch stärker seinen Tod: „Als die Hohenpriester und ihre Diener ihn sahen, schrien sie: Ans Kreuz mit ihm, ans Kreuz mit ihm!“ (Joh 19,6).

Bild des Leidens

Die Ecce-Homo-Figur der Lohrer Karfreitagsprozession stellt Jesus als den Leidenden vor. Der geschundene Jesus wird den Menschen vorgeführt, die heute an der Straße stehen und die Prozession betrachten. Blutig und bleich, den Mund geöffnet, die Augen trüb. Ein Bild des Leidens. Der Körper bleich und zerschunden, blutig. Der Blick entsetzt und gebrochen. Der Mund leicht geöffnet, ohne dass noch ein Wort hervorkäme – mehr tot als lebendig. Ein drastisches Bild des Leidens. Ein Bild, wie es gerade auch in den ersten drei Strophen von „O Haupt voll Blut und Wunden“ besungen wird, voll Schmerz und voller Hohn. Das edle Angesicht entstellt und bleich, die Augen gebrochen und schändlich zugerichtet. Der nahe und sich abzeichnende Tod hat alles hingerafft, jede verbliebene Kraft genommen. Kaum noch kann sich der so Geschundene aufrecht halten, und der Hass der entfesselten Menge vor dem Prätorium brandet ihm entgegen.

Gerade so aber wird Jesus in der Lohrer Karfreitagsprozession als ein König vorgestellt. Vor Pilatus hatte er bekannt, dass er ein König, sein Königtum aber nicht von dieser Welt sei (vgl. Joh 18,33–37). Er ist kein König mit Macht und Gewalt, sondern von Freiheit und Wahrheit. Jesus sagt: „Ich bin ein König. Ich bin dazu geboren und dazu in die Welt gekommen, dass ich für die Wahrheit Zeugnis ablege. Jeder, der aus der Wahrheit ist, hört auf meine Stimme" (Joh 18,37).

Vielleicht ist es gerade dieses Bild des Leidens, das einen Zugang zum wahren Königtum Christi eröffnen kann. Er ist kein König, von dem man nur eine glanzvolle, makellose, herrliche Fassade zu sehen bekommt. Das Königtum Christi erweist sich gerade in seinem Leiden. In der Solidarität des Gottessohnes bis in die letzten Niederungen des Menschseins und noch tiefer. In den Misshandlungen und dem, was Menschen einem Menschen antun können, bis in die Schande des Todes am Kreuz. Er ist der König auf dem Kreuzesthron, wie ihn ein anderes Lied besingt. Und als solcher ist er uns nahe, der Bruder neben uns, der uns auf unserem Lebensweg durch die Höhen, aber auch durch alle Tiefen begleitet und trägt, mitgeht und mitleidet in der manchmal schmerzhaften Wahrheit des eigenen Lebens.

Bild des Lebens

Was an der farblichen Fassung der Figur aber, neben dem bleichen und blutigen Leib, besonders ins Auge fällt, ist die häufige Verwendung von Gold: die Dornenkrone, die Schließe des roten Samtmantels, die Armfesseln. Man würde doch gerade auch im Vergleich zu den anderen Figuren der Lohrer Karfreitagsprozession eine naturalistischere Fassung erwarten: die Dornenkrone und die Fesseln braun, der Mantel zerschlissen und nur mit einem Strick zusammengehalten.

Die Ecce-Homo-Figur der Lohrer Karfreitagsprozession zeigt in dem Leiden Jesu, das sie nicht verschweigt, sondern dem Betrachter drastisch vor Augen stellt, zugleich die Herrlichkeit Christi. Sie zeigt in der tiefsten Erniedrigung die wahre Hoheit Christi.

Der Spottmantel an dieser Figur ist deshalb ein samtener Königsmantel mit prachtvoller Schließe. Die derben Stricke, die ihn an den Händen fesseln, erscheinen wie goldene Schmuckreifen. Der schmachvolle und entwürdigende Dornenkranz ist hier eine golden strahlende Königskrone.

Die Größe und Herrlichkeit Christi ist nicht losgelöst von Leid und Erniedrigung. Sie zeigt sich vielmehr im Leid und in der Erniedrigung. Das kann helfen, im eigenen Leid seine Würde und damit seine Größe nicht zu verlieren. Denn die wirkliche Ehre des Menschen in aller Not und Anfechtung kommt von Gott, wie auch der Beter des dritten Psalms weiß: „Herr, wie zahlreich sind meine Bedränger, so viele stehen gegen mich auf. Viele gibt es, die von mir sagen: ‚Er findet keine Hilfe bei Gott.‘ Du aber, Herr, bist ein Schild für mich, du bist meine Ehre und richtest mich auf“ (Ps 3,2–4).

Und noch eine Kleinigkeit gibt es an dieser Figur, die oft übersehen wird, weil sie kaum entdeckt werden kann: Einige kleine Dornen der Dornenkrone sind grün. Das sind keine scharfen und spitzen Dornen mehr, die sich in die Haut bohren, es sind vielmehr grüne Knospen, kurz davor aufzuspringen und zu blühen. Ein Zeichen der Hoffnung und ein Zeichen des Lebens; mitten in diesem Bild des Leidens zugleich ein Bild des Lebens. Dieses Leben ist zwar versteckt und nur schwer zu entdecken. Aber es ist da, mit der unbändigen Kraft einer Knospe im Frühling, bereit, aufzuspringen. Kein Tod kann diese Lebenskraft bändigen.

O Haupt voll Blut und Wunden

O Haupt voll Blut und Wunden,
voll Schmerz und voller Hohn,
o Haupt zum Spott gebunden
mit einer Dornenkron,
o Haupt sonst schön gekrönet
mit höchster Ehr und Zier,
jetzt aber frech verhöhnet:
gegrüßet seist du mir.

Du edles Angesichte,
vor dem sonst alle Welt
erzittert im Gerichte,
wie bist du so entstellt.
Wie bist du so erbleichet,
wer hat dein Augenlicht,
dem sonst ein Licht nicht gleichet,
so schändlich zugericht't.

Die Farbe deiner Wangen,
der roten Lippen Pracht
ist hin und ganz vergangen;
des blassen Todes Macht
hat alles hingenommen,
hat alles hingerafft,
und so bist du gekommen
um deines Leibes Kraft.

Was du, Herr, hast erduldet,
ist alles meine Last;
ich, ich hab es verschuldet,
was du getragen hast.
Schau her, da steh ich Armer,
der Zorn verdienet hat;
gib mir, o mein Erbarmer,
den Anblick deiner Gnad.

Erkenne mich, mein Hüter,
mein Hirte, nimm mich an.
Von dir, Quell aller Güter,
ist mir viel Gut's getan;
dein Mund hat mich gelabet
mit Milch und süßer Kost,
dein Geist hat mich begabet
mit mancher Himmelslust.

Ich will hier bei dir stehen,
verachte mich doch nicht;
von dir will ich nicht gehen,
wenn dir dein Herze bricht;
wenn dein Haupt wird erblassen
im letzten Todesstoß,
alsdann will ich dich fassen
in meinem Arm und Schoß.

Es dient zu meinen Freuden
und tut mir herzlich wohl,
wenn ich in deinem Leiden
mein Heil, mich finden soll.
Ach möcht' ich, o mein Leben,
an deinem Kreuze hier
mein Leben von mir geben,
wie wohl geschähe mir.

Ich danke dir von Herzen,
o Jesu, liebster Freund,
für deines Todes Schmerzen,
da du's so gut gemeint.
Ach gib, dass ich mich halte
zu dir und deiner Treu,
und wenn ich einst erkalte,
in dir mein Ende sei.

Wenn ich einmal soll scheiden,
so scheide nicht von mir.
Wenn ich den Tod soll leiden,
so tritt du dann herfür.
Wenn mir am allerbängsten
wird um das Herze sein,
so reiß mich aus den Ängsten
kraft deiner Angst und Pein.

Erscheine mir zum Schilde,
zum Trost in meinem Tod,
und lass mich sehn dein Bilde
in deiner Kreuzesnot.
Da will ich nach dir blicken,
da will ich glaubensvoll
dich fest an mein Herz drücken.
Wer so stirbt, der stirbt wohl.

Paul Gerhard 1656 nach „Salve caput cruentatum" des Arnulf von Löwen vor 1250.

VII. JESUS TRÄGT SEIN KREUZ

Getragen von der Gärtner- und Fischerinnung, den Sportfischern, den Landwirten, den Obst- und Gemüsehändlern, den Förstern und Waldarbeitern.

Aus dem Markus-Evangelium

Dann führten sie Jesus hinaus, um ihn zu kreuzigen. Einen Mann, der gerade vom Feld kam, Simon von Zyrene, den Vater des Alexander und des Rufus, zwangen sie, sein Kreuz zu tragen.

Mk 15,20–21

Tragen

Die Station „Jesus trägt sein Kreuz" entspricht der im Fränkischen weit verbreiteten Darstellung des Kreuzschleppers: Jesus trägt das Kreuz auf der Schulter und ist unter seiner Last in die Knie gegangen. Häufig findet man diese Darstellung im Frankenland als einzelner Bildstock und nicht im Zusammenhang des ganzen Kreuzweges. Sie steht an Straßen und Wegen, in den Orten und Städten, an Feldern, in Weinbergen und im Wald, also wo Menschen vorübergehen auf ihren täglichen Wegen mit ihrem alltäglichen Geschäft. Die Beliebtheit dieser Figur hat Gründe. Im Kreuz tragenden Gottessohn erblickte man die Solidarität Jesu mit den Menschen, und was jeder Mensch in seinem Leben und im Alltag zu tragen und zu ertragen hat. Zugleich hält diese Figur aber auch die Aufforderung Jesu wach, sein eigenes Kreuz – wenn es sein muss sogar täglich – auf sich zu nehmen und ihm nachzufolgen (vgl. Lk 9,23). Denn so sagt er: „Wer sein Leben retten will, wird es verlieren, wer aber sein Leben um meinetwillen verliert, der wird es retten" (Lk 9,24). Das ist das Geheimnis des Kreuzes im Leben, gewissermaßen das Paradox von Leben und Kreuz. So sehr man es sich auch anders wünscht: Am Kreuz im Leben führt kein Weg vorbei. Es gibt keine sinnvolle und zielführende Vermeidungsstrategie für das Kreuz im Leben: Wer vor dem Kreuz ausweichen möchte oder vor ihm davon läuft, der weicht dem Leben aus und läuft letztlich vor dem Leben davon. Aus Angst vor dem Kreuz wird so das Leben selbst verweigert. Wer sich aber dem Kreuz im Leben stellt, es annimmt, auf sich nimmt und trägt, der wird das Leben in Fülle finden, trotz des Kreuzes, ja sogar erst durch das Kreuz. Der Kreuzschlepper ist ein Bild, wie durch Annehmen, Aufnehmen und Tragen, aber auch durch Fallen, Aufstehen und Weitertragen Leben gelingt. Ganz unbemerkt ist diese Figur so gewissermaßen auch die zentrale Station der Lohrer Karfreitagsprozession. Sie ist das siebte und damit mittlere Bild der 13 Bilder dieser Leidens- und Lebensprozession.

Das täglich aufgenommene Kreuz ist zugleich ein Bild für das leichte Joch des Lebens nach dem Willen und Beispiel Jesu, der seinen Jüngern zuruft: „Kommt alle zu mir, die ihr euch plagt und schwere Lasten zu tragen habt. Ich werde euch Ruhe verschaffen. Nehmt mein Joch auf euch und lernt von mir; denn ich bin gütig und von Herzen demütig; so werdet ihr Ruhe finden für eure Seele. Denn mein Joch drückt nicht und meine Last ist leicht“ (Mt 11,28–30). Ruhe finden, indem man das Joch Jesu und sein eigenes Kreuz auf sich nimmt, gelingt deshalb, weil man sich so dem vergeblichen Stress entzieht, dem Kreuz im Leben ausweichen zu wollen. Zugleich darf ich gewiss sein, dass bei meinem Kreuz mindestens einer – Jesus – mitträgt, wie bei ihm Simon von Zyrene mitgetragen hat.

Fallen

Das Kreuz des Kreuzschleppers der Lohrer Karfreitagsprozession ist leicht – leichter als erwartet, denn es ist ein hohler Rahmen und auf der Rückseite sogar nur mit Stoff bespannt. Was den Trägern der Figur als Erleichterung gedacht ist, kann für den Betrachter zu einer spirituellen Hilfe werden. Das Kreuz ist hohl und leer und es wartet gewissermaßen darauf, dass es gefüllt wird. Es kann gefüllt werden mit allen persönlichen Kreuzeserfahrungen: Krankheit und Schmerz, Unvermögen und Scheitern, Angst und Trauer, Ungeliebt- und Unverstandensein, Schuld und Sünde. Aber auch die Kreuze der Welt haben dort Platz: Seuchen und Hunger, Elend und Not, Krieg und Terror, Ausbeutung und Missbrauch. All das, was heute Kreuz ist und als solches benannt werden muss, kann in das hohle Kreuz des Kreuzschleppers gelegt werden. Denn gerade so hat auch Jesus sein Kreuz verstanden und getragen. „Er hat unsere Sünden mit seinem Leib auf das Holz des Kreuzes getragen, damit wir tot seien für die Sünden und für die Gerechtigkeit leben. Durch seine Wunden seid ihr geheilt“ (1 Petr 2,24).

So wird das Kreuz aber schwer, und sein Träger kommt zu Fall. Die Last des Kreuzes und der Kreuze der Welt zwingen Jesus in die Knie und zu Boden. Auch wenn die Passionserzählung der Bibel nichts von einem Fallen Jesu unter dem Kreuz erzählen, ist es doch nur zu verständlich, dass er – geschwächt von Folter und Misshandlung – auf dem Weg nach Gologta unter der Last des Kreuzes zusammenbricht; und das wohl mehr als nur einmal. Er verliert den Boden unter den Füßen und findet keinen Halt mehr. Psalm 22 und Psalm 69, die den Anhängern Jesu geholfen haben, das Geschehen der Passion zu begreifen, können auch uns eine Hilfe zum Verständnis sein. Der Psalmist klagt in Psalm 69: „Hilf mir, o Gott! Schon reicht mir das Wasser bis an die Kehle. Ich bin in tiefem Schlamm versunken und habe keinen Halt mehr; ich geriet in tiefes Wasser, die Strömung reißt mich fort ... Entreiß mich dem Sumpf, damit ich nicht versinke. Zieh mich heraus aus dem Verderben, aus dem tiefen Wasser! Lass nicht zu, dass die Flut mich überschwemmt, die Tiefe mich verschlingt, der Brunnenschacht über mir seinen Rachen schließt“ (Ps 69,2–3.15–16). Der Gerechte in Psalm 22 beschreibt die Meute um ihn herum: „Ich aber bin ein Wurm und kein Mensch, der Leute Spott, vom Volk verachtet. Alle, die mich sehen, verlachen mich, verziehen die Lippen, schütteln den Kopf: «Er wälze die Last auf den Herrn, der soll ihn befreien! Der reiße ihn heraus, wenn er an ihm Gefallen hat.» ... Ich bin hingeschüttet wie Wasser, gelöst haben sich all meine Glieder. Mein Herz ist in meinem Leib wie Wachs zerflossen. Meine Kehle ist trocken wie eine Scherbe, die Zunge klebt mir am Gaumen, du legst mich in den Staub des Todes (Ps 22,7–9.15–16).

Aufstehen

Beiden, dem Beter in Psalm 69 und dem Gerechten in Psalm 22 ist gemeinsam, dass sie ihre Hoffnung auf Gott, seine Treue und sein Erbarmen setzen. So kommen die am Boden liegenden wieder auf: „Ich aber bin elend und voller Schmerzen; doch deine Hilfe, o Gott, wird mich erhöhen" (Ps 69,30). Wie bei den meisten Darstellungen des Kreuzschleppers ist auch bei der Figur der Lohrer Karfreitagsprozession nicht wirklich zu entscheiden, ob Jesus am Fallen oder schon wieder am Aufstehen ist. Entscheidend aber ist auch, dass er nicht liegenbleibt. Das Fallen im Leben ist nicht das Problem – es gehört, so schmerzhaft es auch ist – zum Leben dazu. Wer aber liegen bleibt, wer nach dem Sturz resigniert, weil er keine Kraft mehr zu haben meint, vor allem aber keine Hoffnung und kein Vertrauen, wer sich weigert wieder aufzustehen, weiterzutragen und weiterzugehen, der verweigert das Leben. Nicht das Fallen ist das Problem, sondern das Liegenbleiben. Es bedarf einer großen Kraftanstrengung, nach dem Fallen wieder aufzustehen, und nach jedem erneuten Fallen wird es schwerer. Dabei ist der Rat, den die umstehenden Spötter und Lästerer dem niedergedrückten Gerechten in Psalm 22 geben, gar nicht verkehrt – sie glauben nur nicht daran, dass es der richtige Weg ist, wenn sie sagen: „Er wälze seine Last auf den Herrn, der soll ihn befreien! Der reiße ihn heraus, wenn er an ihm Gefallen hat" (Ps 22,9). Das Vertrauen aber, dass der Herr selbst die Last mitträgt, gibt neue Kraft und lässt nach dem Fallen wieder aufstehen, weitertragen und weitergehen.

Vielleicht zeigt auch die Figur des Kreuzschleppers Jesus beim Wiederaufstehen – nach dem wievielten Fall auch immer. Vielleicht fällt ihm das Aufstehen sogar leichter, als man es erwarten würde: Er hält das Kreuz locker mit der rechten Hand, dass es ihm nicht von der Schulter rutscht, und die linke Hand liegt leicht auf seinem gebeugten Knie. Er hat seine Last auf den Herrn, seinen Gott, gewälzt, und der gab ihm die Kraft wieder aufzustehen, weiterzugehen und weiterzutragen.

VIII. JESUS WIRD DER KLEIDER BERAUBT

Getragen von der Schneiderinnung, den Beschäftigten der Bekleidungsindustrie und der Textilgeschäfte.

Aus dem Markus-Evangelium

„Und sie brachten Jesus an einen Ort namens Golgota, das heißt übersetzt: Schädelhöhe. Dort reichten sie ihm Wein, der mit Myrrhe gewürzt war; er aber nahm ihn nicht. Dann kreuzigten sie ihn. Sie warfen das Los und verteilten seine Kleider unter sich und gaben jedem, was ihm zufiel."

Mk 15,22–24

Die letzte Rast

Der Henkerszug ist angekommen auf der Schädelstätte Golgota, dem Ziel- und Gipfelpunkt eines sadistischen und unmenschlichen Weges. Der grausame Höhepunkt steht aber noch aus: die Kreuzigung. Jetzt – kurz davor – ist nochmal Zeit und Ruhe für Jesus, während die Henkersknechte alles für seine Hinrichtung vorbereiten. Er sitzt da im Lendenschurz, die Kleider hat man ihm schon genommen; mit gefesselten Händen, die Fesseln werden ihm erst gelöst, wenn seine Hände an das Kreuz genagelt werden; die Dornenkrone auf dem Haupt, Zeichen der Erniedrigung und seines ganz anderen Königtums. So sitzt er da und schaut zurück.

Er schaut zurück auf seinen letzten Weg von Jerusalem hier heraus auf den Richtplatz, er schaut zurück auf die Heilige Stadt, die den zu ihrem Heil von Gott gesandten Propheten tötet (vgl. Lk 13,34). Er schaut zurück auf sein Leben, in dem er versucht hat, die Herzen der Menschen wieder Gott zuzukehren, der ihnen Heil und Leben schenken will. Jetzt steht er, der letzte Bote Gottes, vor dem Tod, weil er den Menschen die Freiheit des Reiches Gottes und das Leben in Fülle bringen wollte. In einem Gleichnis hatte Jesus wachen Auges und im Wissen um die Geschichte vorausschauend sein eigenes Ende beschrieben: „Ein Mann legte einen Weinberg an, verpachtete ihn an Winzer und reiste für längere Zeit in ein anderes Land. Als nun die Zeit dafür gekommen war, schickte er einen Knecht zu den Winzern, damit sie ihm seinen Anteil am Ertrag des Weinbergs ablieferten. Die Winzer aber prügelten ihn und jagten ihn mit leeren Händen fort. Darauf schickte er einen anderen Knecht; auch ihn prügelten und beschimpften sie und jagten ihn mit leeren Händen fort. Er schickte noch einen dritten Knecht; aber auch ihn schlugen sie blutig und warfen ihn hinaus. Da sagte der Besitzer des Weinbergs: Was soll ich tun? Ich will meinen geliebten Sohn zu ihnen schicken. Vielleicht werden sie vor ihm Achtung haben. Als die Winzer den Sohn sahen, überlegten sie und sagten zueinander: Das ist der Erbe; wir wollen ihn töten, damit das Erbgut uns gehört. Und sie warfen ihn aus dem Weinberg hinaus und brachten ihn um“ (Lk 20,9–15). Was Jesus damals im Gleichnis erzählt hatte, ist jetzt eingetroffen. Aber sie haben die Rechnung ohne Gott gemacht und diese Rechnung wird dazu noch ganz anders ausfallen, als sie es sich hätten träumen lassen und es hätten erwarten können. Als letzte Vergeltung für diesen Toten wird nicht der rächende Tod stehen, sondern das Leben.

Der letzte Fetzen

Ein letzter Fetzen Stoff ist Jesus noch geblieben in seinem Lendenschurz, nachdem man ihm seine Kleider genommen hat. Und dieser Lendenschurz ist eigentlich eine fromme Zutat späterer Jahrhunderte, die die Schmach des entehrenden Todes am Kreuz abmildern wollten. Jesus wurde – wie jeder andere auch – nackt gekreuzigt. Nackt, im Versuch ihn zu entwürdigen und zu beschämen, ihn zu entehren und zu erniedrigen bis zum Letzten. Der Lendenschurz ist ein spätes Zeichen des Mitleids, das der zum Tod am Kreuz Verurteilte weder von seinen Henkern noch von der gaffenden Menge erwarten konnte: Keine Unmenschlichkeit ist zu viel im Versuch, den Verurteilten zu erniedrigen und ihm seine Würde zu nehmen. „Die Schande bricht mir das Herz, ganz krank bin ich vor Schmach; umsonst habe ich auf Mitleid gewartet, auf einen Tröster, doch ich habe keinen gefunden. Sie gaben mir Gift zu essen, für den Durst reichten sie mir Essig“ (Ps 69,21–22). Es sind die Erlebnisse des Gerechten aus Psalm 22, die auch Jesus hier macht: „Viele Hunde umlagern mich, eine Rotte von Bösen umkreist mich. Sie durchbohren mir Hände und Füße. Man kann all meine Knochen zählen; sie gaffen und weiden sich an mir. Sie verteilen unter sich meine Kleider und werfen das Los um mein Gewand“ (Ps 22,17–19). Was dem Gerechten hier bleibt, ist einzig und allein die Hoffnung und das Vertrauen auf Gott, zu dem er fleht: „Du aber, Herr, halte dich nicht fern! Du, meine Stärke, eil mir zu Hilfe! Entreiße mein Leben dem Schwert, mein einziges Gut aus der Gewalt der Hunde! Rette mich vor dem Rachen des Löwen, vor den Hörnern der Büffel rette mich Armen!“ (Ps 22,20–22). Dies ist kein blindes Vertrauen, keine Hoffnung, die sich an einen viel zu dünnen Strohhalm klammert. Es sind vielmehr Vertrauen und Hoffnung, die Grund haben in der rettenden und heilenden Geschichte des heiligen Gottes mit seinem Volk, das auch der Beter erinnert: „Aber du bist heilig, du thronst über dem Lobpreis Israels. Dir haben unsre Väter vertraut, sie haben vertraut und du hast sie gerettet. Zu dir riefen sie und wurden befreit, dir vertrauten sie und wurden nicht zuschanden“ (Ps 22,4–6). In dieser Hoffnung und in diesem Vertrauen lebt Jesus bis zuletzt. Das ist der letzte Fetzen, der ihm bleibt. „Als er auf Erden lebte, hat er mit lautem Schreien und unter Tränen Gebete und Bitten vor den gebracht, der ihn aus dem Tod retten konnte, und er ist erhört und aus seiner Angst befreit worden“ (Hebr 5,7). Wohl dem, dem als letzter Fetzen solches Vertrauen und solche Hoffnung bleiben.

Der letzte Blick

Der letzte Blick Jesu in diesen letzten Momenten vor seiner Kreuzigung, die in der Figur der Kleiderberaubung der Lohrer Karfreitagsprozession eingefangen sind, geht nicht nur zurück auf sein Leben und sein – zumindest nach menschlichen Ermessen – Scheitern. Er geht auch nicht nur nach oben zu seinem Gott und Vater, in den er sein ganzes Vertrauen und seine letzte Hoffnung setzt – der letzte Fetzen, der ihm geblieben ist. Sein letzter Blick geht vor allem auch auf die Menschen um ihn herum. Die Soldaten, die ihn herausgeführt haben, ihn am Kreuz bewachen werden – in Erwartung eines schnellen Todes, der für sie einen frühen Feierabend bedeutet –, die seine letzte Habe, seine Kleider unter sich als Lohn verteilen werden. Die Henker, die schon die Nägel in der Hand halten und den Hammer prüfend wiegen. Auf die, die mit ihm hingerichtet werden und denen der Tod auch schon vor Augen steht. Auf die gaffende Menge, die ein blutiges und schauriges Schauspiel erwartet. Auf die Schriftgelehrten und Pharisäer, die sich am Ziel wähnen, und auf alle, die glotzen und lästern und über ihn den Kopf schütteln.

Als Jesus sich aufgemacht hatte, nach Jerusalem zu gehen, weil ihm Herodes nachstellte und ein Prophet Gottes doch nirgends anders ums Leben kommen dürfe als in dieser Stadt (vgl. Lk 13,33), hatte er einen Klageruf über Jerusalem angestimmt: „Jerusalem, Jerusalem, du tötest die Propheten und steinigst die Boten, die zu dir gesandt sind. Wie oft wollte ich deine Kinder um mich sammeln, so wie eine Henne ihre Küken unter ihre Flügel nimmt; aber ihr habt nicht gewollt“ (Lk 13,34). Jetzt sind sie um ihn versammelt. Aber sie gaffen und weiden sich an seinem Leiden. Sie lästern und spotten über ihn, der doch völlig von allen guten Geistern und von Gott selbst verlassen sein muss, da es doch ein solches Ende mit ihm nimmt. Sie sind gespannt auf das brutale Schauspiel, das ihnen noch in der Kreuzigung und seinem Tod geboten werden wird. Sie erkennen dabei nicht das Heil, das da geschieht, und das Leben, das in diesem Tod aufbrechen wird. Ihnen aber gilt Jesu letzter Blick vor der Kreuzigung, der vorletzte Blick seines Lebens. Er gilt den Menschen um ihn herum. Er gilt uns und gerade auch denen, die bei der Lohrer Karfreitagsprozession am Rande stehen, wenn diese Figur vorüber getragen wird. Ihnen neigt sie nämlich den Kopf zu.

Heilig Kreuz, du Baum der Treue

Heilig Kreuz, du Baum der Treue,
edler Baum, dem keiner gleich,
keiner so an Laub und Blüte,
keiner so an Früchten reich:
Süßes Holz, o süße Nägel,
welche süße Last an euch.

Beuge, hoher Baum, die Zweige,
werde weich an Stamm und Ast,
denn dein hartes Holz muss tragen
eine königliche Last,
gib den Gliedern deines Schöpfers
an dem Stamme linde Rast.

Du allein warst wert zu tragen
aller Sünden Lösegeld,
du die Planke, die uns rettet
aus dem Schiffbruch dieser Welt.
Du, gesalbt vom Blut des Lammes,
Pfosten, der den Tod abhält.

Lob und Ruhm sei ohne Ende
Gott, dem höchsten Herrn, geweiht.
Preis dem Vater und dem Sohne
und dem Geist der Heiligkeit.
Einen Gott in drei Personen
lobe alle Welt und Zeit. Amen.

Nach: „Crux fidelis, inter omnes abor nobilis“ des Venantius Fortunatus, gestorben um 600.

IX. JESUS AM KREUZ

Gestiftet 1734 von der Schiffsbauerzunft und den Zimmerleuten.
Getragen von den Innungen des Baugewerbes, den Maurern, Zimmerleuten, Malern, Spenglern und Dachdeckern.

Aus dem Johannes-Evangelium

„Danach, als Jesus wusste, dass nun alles vollbracht war, sagte er, damit sich die Schrift erfüllte: Mich dürstet. Ein Gefäß mit Essig stand da. Sie steckten einen Schwamm mit Essig auf einen Ysopzweig und hielten ihn an seinen Mund. Als Jesus von dem Essig genommen hatte, sprach er: Es ist vollbracht! Und er neigte das Haupt und gab seinen Geist auf.

Weil Rüsttag war und die Körper während des Sabbats nicht am Kreuz bleiben sollten, baten die Juden Pilatus, man möge den Gekreuzigten die Beine zerschlagen und ihre Leichen dann abnehmen; denn dieser Sabbat war ein großer Feiertag. Also kamen die Soldaten und zerschlugen dem ersten die Beine, dann dem anderen, der mit ihm gekreuzigt worden war. Als sie zu Jesus kamen und sahen, dass er schon tot war, zerschlugen sie ihm die Beine nicht, sondern einer der Soldaten stieß mit der Lanze in seine Seite und sogleich floss Blut und Wasser heraus."

Joh 19,28–34

Tod und Leben

Die Passionserzählungen der Bibel laufen auf einen tragischen Höhepunkt zu: Jesu Tod am Kreuz, hingerichtet zwischen zwei Verbrechern inmitten der gaffenden und spottenden Menge auf Golgota, dem Richthügel außerhalb der Stadt. „Es war die dritte Stunde, als sie ihn kreuzigten. Und eine Aufschrift auf einer Tafel gab seine Schuld an: Der König der Juden. Zusammen mit ihm kreuzigten sie zwei Räuber, den einen rechts von ihm, den andern links. Die Leute, die vorbeikamen, verhöhnten ihn, schüttelten den Kopf und riefen: Ach, du willst den Tempel niederreißen und in drei Tagen wieder aufbauen? Hilf dir doch selbst und steig herab vom Kreuz! Auch die Hohenpriester und die Schriftgelehrten verhöhnten ihn und sagten zueinander: Anderen hat er geholfen, sich selbst kann er nicht helfen. Der Messias, der König von Israel! Er soll doch jetzt vom Kreuz herabsteigen, damit wir sehen und glauben. Auch die beiden Männer, die mit ihm zusammen gekreuzigt wurden, beschimpften ihn“ (Mk 15,25–32).

Höhepunkt der Lohrer Karfreitagsprozession ist das große Handwerkerkreuz von 1734, das von fünf Männern nahezu aufrecht durch die Straßen der Stadt getragen wird, mitten durch die Menge der schweigenden Betrachter. Diese Figur hat den Charakter barocker Frömmigkeit, in der die Prozession ihre Grundlage hat, wohl am besten bewahrt. Aus den fünf Wunden Jesu, an den Händen, den Füßen und der Seite, laufen rote Bänder zu vergoldeten Holzkelchen, die von fünf Mädchen im Kindergarten- und frühen Grundschulalter getragen werden. Deutlich heben sich die leuchtend roten Blutbänder vor dem bleichen und toten Leib des Gekreuzigten ab.

So bleich der Körper des Gekreuzigten ist, so kraftvoll zeigt er sich dennoch im Tod. Der leicht geöffnete Mund scheint noch ein letztes Wort zu sprechen. Jesus ist tot! Aber dennoch bleibt eine Ahnung, dass dieser Tod nicht Tod bleiben kann, dass nicht der Tod, sondern das Leben das letzte Wort haben wird.

Der Sohn Gottes geht nicht an Kreuz und Tod vorbei. Er nimmt das Kreuz auf und stirbt am Kreuz für uns. Jesus stirbt unseren Tod, damit der Tod selbst des Todes sterbe, und damit wir Leben haben in Fülle. So wird das Kreuz zu dem Ort, an dem Gottes Liebe zu uns aufstrahlt. Eine Liebe, die im Tod und durch den Tod hindurch Leben schafft und schenkt. Es ist ein Geheimnis unseres Glaubens: Im Tod ist das Leben.

Das Kreuz tragen

Christusnachfolge ist Kreuzesnachfolge. „Wer mein Jünger sein will, der verleugne sich selbst, nehme sein Kreuz auf sich und folge mir nach" (Mk 9,34). Eindrücklich und in ganz besonderer Weise kommen die Männer, die das große Kreuz tragen, dieser Forderung Jesu nach und immer wieder wird dies in der Lohrer Karfreitagsprozession eindrucksvoll deutlich – von Anfang an.

Jesus ohne Kreuz ist nicht zu denken. Das Kreuz ist dabei eine bleibende Herausforderung. Es war schon eine Herausforderung für die Jünger. Für Petrus ist es unvorstellbar, dass dieser Jesus, den er als Messias und Sohn Gottes erkannt und bekannt hatte, sterben sollte. Gott solle das verhüten. Jesus aber weist ihn zurecht und fordert ihn auf, hinter ihm herzugehen, ihm nachzufolgen (vgl. Mk 8,31–33). Das tut Petrus, nimmt schließlich auch sein eigenes Kreuz auf sich und stirbt den Martertod am Kreuz. So hat er, der sich Jesus erst in den Weg gestellt hatte, sich doch als wahrer Jünger erwiesen in der Nachfolge Jesu bis ans Kreuz. War für die frühen Christen dieses Kreuz durchaus als reale Möglichkeit ihres eigenen Sterbens zu verstehen, als das Kreuz, an dem sie selbst sterben konnten, wenn sie trotz der Repressalien und der Unterdrückung des römischen Staates zu ihrem Glauben standen, so wird es doch auch verstanden im Blick auf die vielen kleinen und größeren tagtäglichen Kreuze, die das Leben durchkreuzen können: Krankheiten und Schicksalsschläge, Hoffnungslosigkeit und Unzulänglichkeiten. Manchmal kann so das Leben selbst zu einem Kreuz werden, das geschultert und getragen werden muss.

Jesus aber, der das Kreuz auf sich genommen und für alle getragen hat, wird jetzt in dieser Prozession am Kreuz getragen. Das große Handwerkerkreuz der Lohrer Karfreitagsprozession kann dabei nicht von einem alleine getragen werden – und das ist gut so. Es ist gut, wenn keiner sein Kreuz alleine tragen muss, sondern andere mittragen.

Am Kreuz Jesu kommt letztlich keiner vorbei, wie auch keiner am Kreuz im eigenen Leben vorbeikommt. Aber das Kreuz ist nicht ein Zeichen des Sieges des Todes über das Leben, sondern durch die Auferweckung Jesu ein Zeichen für den Triumph des Lebens über den Tod. Aus dem Schandzeichen ist ein Heilszeichen, aus dem Todespfahl ein Fanal der Hoffnung geworden. Ein Zeichen, mit dem man sich nicht nur verschämt auf die Straße trauen kann, sondern mit dem man vielmehr auf die Straße gehen muss: Es ist ein Zeichen für das Leben. Denn durch Jesu Tod und Auferstehung gilt: Im Kreuz ist Heil, im Kreuz ist Leben, im Kreuz ist Hoffnung.

Gnade über Gnade

Die roten Bänder zwischen den Wunden des Gekreuzigten und den jungen Mädchen halten die Verbindung zwischen dem Geschehen damals und uns Menschen heute. Das damalige, historische Geschehen auf Golgota hat eine Bedeutung für uns heute. Dieses grausame Sterben Jesu bedeutet neues Leben für uns. „Einer der Soldaten stieß mit der Lanze in seine Seite und sogleich floss Blut und Wasser heraus" (Joh 19,34). Aus dieser geöffneten Seite Jesu fließen Blut und Wasser nicht als Hinweis auf seinen Tod, sondern auf das Leben in Fülle, das den Menschen durch Jesu Tod vom Kreuz her zuströmt. Hier findet das Bekenntnis vom Anfang des Johannesevangeliums seine Erfüllung: „Aus seiner Fülle haben wir alle empfangen, Gnade über Gnade" (Joh 1,16).

Das damalige brutale Sterben Jesu am Kreuz ist der Grund für unsere Hoffnung auf ein Leben in Fülle durch den Tod hindurch und über den Tod hinaus. Das Leben, das er durch sein Sterben am Kreuz erworben hat, soll uns heute zuteil werden. Es ist ein junges neues Leben, voller Hoffnung; ein Leben in Fülle mit Zukunft. Deshalb werden die Kelche, die randvoll gefüllt sind mit diesem Leben, von jungen Mädchen getragen. Dieses Leben soll allen Menschen zuteilwerden. Der Tod hat seinen Stachel und seinen Schrecken verloren. Das Leben hat durch Gott gesiegt. An diesem Leben haben die Gläubigen Anteil durch das Wasser der Taufe. Dafür bekommen sie ihre Kraft durch den Leib und das Blut Christi in der Eucharistie. Paulus schon schreibt an die Christen in Rom: „Wisst ihr denn nicht, dass wir alle, die wir auf Christus Jesus getauft wurden, auf seinen Tod getauft worden sind? Wir wurden mit ihm begraben durch die Taufe auf den Tod; und wie Christus durch die Herrlichkeit des Vaters von den Toten auferweckt wurde, so sollen auch wir als neue Menschen leben. Wenn wir nämlich ihm gleich geworden sind in seinem Tod, dann werden wir mit ihm auch in seiner Auferstehung vereinigt sein ... Sind wir nun mit Christus gestorben, so glauben wir, dass wir auch mit ihm leben werden. Wir wissen, dass Christus, von den Toten auferweckt, nicht mehr stirbt; der Tod hat keine Macht mehr über ihn. Denn durch sein Sterben ist er ein für allemal gestorben für die Sünde, sein Leben aber lebt er für Gott. So sollt auch ihr euch als Menschen begreifen, die für die Sünde tot sind, aber für Gott leben in Christus Jesus“ (Röm 6,3–5.8–11).

X. DAS KREUZ UNSERER ZEIT

Getragen von den katholischen Verbänden, darunter die Katholische Arbeitnehmerbewegung (KAB), die Deutsche Pfadfinderschaft St. Georg (DPSG) und die Katholische Studierende Jugend (KSJ).

Aus dem Ersten Korintherbrief

„Das Wort vom Kreuz ist denen, die verloren gehen, Torheit; uns aber, die gerettet werden, ist es Gottes Kraft. Es heißt nämlich in der Schrift: Ich lasse die Weisheit der Weisen vergehen und die Klugheit der Klugen verschwinden. Wo ist ein Weiser? Wo ein Schriftgelehrter? Wo ein Wortführer in dieser Welt? Hat Gott nicht die Weisheit der Welt als Torheit entlarvt? Denn da die Welt angesichts der Weisheit Gottes auf dem Weg ihrer Weisheit Gott nicht erkannte, beschloss Gott, alle, die glauben, durch die Torheit der Verkündigung zu retten. Die Juden fordern Zeichen, die Griechen suchen Weisheit. Wir dagegen verkündigen Christus als den Gekreuzigten: für Juden ein empörendes Ärgernis, für Heiden eine Torheit, für die Berufenen aber, Juden wie Griechen, Christus, Gottes Kraft und Gottes Weisheit."

1 Kor 1,18–24

Heutig werden

Die zehnte Station der Lohrer Karfreitagsprozession durchbricht den Lauf der Passionsfiguren und lässt innehalten in der Betrachtung des Leidens Christi. Es ist keine Figur, die ein Ereignis der Passion selbst darstellt, sondern ein einfaches leeres Balkenkreuz. Dieses leere Kreuz steht dabei nicht für die Kreuzabnahme, die man hier erwarten könnte. Es steht für das Kreuz an sich in seiner immer aktuellen Bedeutung. Es ist dabei keine Station, die zum historischen Bestand der Prozession gehört, sondern eine bewusste Neuschöpfung aus dem Jahr 1961. Sie markiert damit den Schlusspunkt einer bewussten und großen Umgestaltung der Lohrer Karfreitagsprozession seit den 1950er Jahren.

Das Anliegen dieser Umgestaltung war es, ganz im Sinne und im Geiste des Zweiten Vatikanischen Konzils, den traditionellen Zug heutig werden und in der Gegenwart der Menschen von heute ankommen zu lassen. In diesem Zusammenhang wurden überkommene und auch überlebte Frömmigkeitsformen, die die Prozession bisher begleiteten, abgeschafft. Sie wurde so zu einer schweigenden Prozession, bei der nicht mehr vorgebetet wurde; zu einem Leidenszug, der von Trauerchorälen und dumpfen Paukenschlägen begleitet wird. So wurde Raum geschaffen, dass Träger und Betrachter Platz haben für ihr Leben, für ihre Sorgen und Anliegen, für die eigene innere Betrachtung des Geschehens, ohne dass wortlastige Gebete den direkten, unmittelbaren und persönlichen Zugang zerreden. Sie können sich selbst, mit dem, was sie im Kopf und im Herzen tragen, in Beziehung setzen zu den Bildern der Passion, die durch die Straßen getragen werden.

Mitglieder von kirchlichen Vereinen und Gruppierungen tragen das leere Holzkreuz flach und nicht aufgerichtet durch die Straßen, dem großen aufgerichteten Kreuz Jesu hinterher. Es sind bewusst die kirchlichen Verbände und Gruppierungen, die das „Kreuz unserer Zeit" tragen, denn sie sind es, die sich in besonderer Weise auf die Fahnen geschrieben haben, den christlichen Glauben, der auf dem Kreuz aufruht, bewusst dort zu leben, wo sie selbst leben, arbeiten und wirken: in unserer Welt und in unserer Zeit. Dieses Balkenkreuz wirkt so gewissermaßen wie der Schatten des großen Kreuzes, das in der Station vorher getragen wurde. Damit kann es helfen, die Kreuze in der Welt von heute und im eigenen Leben zu entdecken. Das Kreuz hilft so, die Welt zu sehen, wie sie ist; zu entdecken, wo dem Leben Gewalt angetan wird; wo Menschen sich nicht entfalten können, sondern unterdrückt werden. Es hilft zu sehen, wo der Tod herrscht, wo doch eigentlich das Leben regieren sollte. Es entlarvt die Torheit der Welt, die das Leben sucht, koste es was es wolle, und dabei dann doch oft genug nicht nur den Tod findet, sondern ihn auch noch produziert.

Es sind aber nicht nur diese großen Kreuze in der Welt, die es anzugehen gilt, es sind vor allem auch die kleinen und fast schon alltäglichen Kreuze im eigenen Leben, die getragen und allzuoft auch ertragen werden müssen. Wer aber gerade diese kleinen und alltäglichen Kreuze trägt und mitträgt, erweist sich als Jünger Jesu, der verstanden hat, was Christusnachfolge bedeutet, nämlich Kreuzesnachfolge, die zum Leben führen wird. „Zu allen sagte Jesus: Wer mein Jünger sein will, der verleugne sich selbst, nehme täglich sein Kreuz auf sich und folge mir nach. Denn wer sein Leben retten will, wird es verlieren; wer aber sein Leben um meinetwillen verliert, der wird es retten" (Lk 9,23–24).

Es liegt ein Kreuz auf der Welt

Wie ein Schatten des Kreuzes Christi liegt das „Kreuz unserer Zeit" auf der Welt und zeigt so die Kreuze, die auf dieser Welt liegen. Das Kreuz ist auf Golgota eingerammt in die Erde und wirft seinen Schatten. Es zeigt die dunklen Stellen dieser Welt in Leid und Krankheit, in Terror und Krieg, in Ausbeutung und Erniedrigung, in Ungerechtigkeit und Chancenlosigkeit, in Unterdrückung und Gier ... alles Formen und

Erscheinungsweisen des Todes – eines oft von Menschen gemachten Todes. So dunkel aber dieser Schatten des Kreuzes auf dieser Welt ist, so unbarmherzig er die Unbarmherzigkeiten dieser Welt benennt und aufdeckt, so hart die Realität des Kreuzes und des Todes in der Welt und im Leben sind, ein Schatten birgt immer auch ein Hoffnungspotenzial. Wie dunkel und scharf konturiert ein Schatten auch sein mag, er zeugt doch immer von einem hellen Licht. Der Schatten, den das Kreuz auf diese Welt wirft, entsteht durch das Licht der Ostersonne, die den Triumph des Lebens über den Tod verkündet, der in der Auferstehung Jesu aus den Toten geschehen ist. Dass da aber noch ein Schatten ist, liegt daran, dass der Tod zwar vom Leben überwunden ist, aber dennoch noch nicht zu einem Ende gekommen ist. Das ist traurige Realität, die jeder immer wieder als schmerzhafte Wirklichkeit erlebt. Ein Schatten, der so dunkel sein kann, dass man nichts mehr von der aufgegangenen und strahlenden Ostersonne des Lebens wahrnimmt. Die Erfahrung des noch nicht zu Ende gekommenen Todes, die an der endgültigen Überwindung des Todes zweifeln lassen kann. Aber in diesem Licht des Lebens wird das Kreuz unserer Tage auf unserer Welt sichtbar und damit letztlich auch überwindbar.

Vier Worte

Vier Worte sind geschrieben auf die Holzbalken dieses Kreuzes, die sensibel machen wollen für das Kreuz auf unserer Welt und die Kreuze unserer Zeit. HUNGER und LAUHEIT stehen in großen Lettern auf dem Querbalken, HASS und SPALTUNG auf dem Längsbalken.

Man hätte mehr Worte darauf schreiben können als vier und es fallen mit Leichtigkeit und ohne Nachdenken noch viel mehr ein. Mit Sicherheit würde man heute ganz andere Worte auf das „Kreuz unserer Zeit“ schreiben. Zum Beispiel ANGST und GEWALT, TERROR und GIER oder AIDS und SEUCHEN, ABTREIBUNG und EUTHANASIE oder MISSBRAUCH und MISSHANDLUNG, WEGSCHAUEN und SCHWEIGEN ... Aber die vier Worte, HUNGER und LAUHEIT, HASS und SPALTUNG, reichen aus, um die ganze Welt und alle ihre Kreuze zu meinen. Ist doch die Vier-Zahl die Zahl der Welt mit ihren vier Himmelsrichtungen und den vier Elementen. Man hätte andere Worte auf die Balken schreiben können als diese. Aber diese vier Worte, HUNGER und LAUHEIT, HASS UND SPALTUNG, reichen aus, um dem Kreuz unserer Zeit auf die Spur zu kommen.

Mehr Worte braucht es nicht, denn in jedem dieser Worte tut sich ein Universum des Leids auf. Jedes dieser Worte regt an, die heutigen Kreuze in dieser Welt in ihrer Brutalität und Unmenschlichkeit zu erkennen und zu durchschauen. Mehr Worte braucht es auch nicht, um auch das Leid im eigenen Leben und die eigenen Kreuze zu entdecken und mit ans Kreuz zu schreiben. Es braucht keine gewandteren und auch keine klugen Worte, denn solche und auch zu viele Worte würden das Kreuz Christi um seine Kraft bringen (vgl. 1 Kor 1,17). Die Kraft des Kreuzes Christi ist eine doppelte: Einmal hilft sie, die Kreuze dieser Welt, die hervorgerufen werden durch Hunger und Lauheit, Hass und Spaltung, aber auch die vielen anderen Kreuze in der Welt und im Leben zu entdecken. Dann aber hilft sie auch diese Kreuze zu ertragen und zu überwinden aus der Hoffnung heraus, dass am Kreuz Jesu nicht das Leben, sondern der Tod gestorben ist.

Der König siegt, sein Banner glänzt

Der König siegt, sein Banner glänzt,
geheimnisvoll erstrahlt das Kreuz,
an dessen Balken ausgereckt
im Fleisch des Fleisches Schöpfer hängt.

Geschunden hängt der heil'ge Leib,
vom scharfen Speere roh durchbohrt,
um rein zu waschen von der Schuld,
strömt Blut und Wasser von ihm aus.

Erfüllt ist nun, was David einst
im Liede gläubig kundgetan,
da er im Geiste prophezeit':
Vom Holz herab herrscht unser Gott.

O edler Baum in hehrem Glanz,
von königlichem Purpur rot,
du werter, du erwählter Stamm,
du trägst den Lösepreis der Welt.

O heil'ges Kreuz, sei uns gegrüßt,
du einz'ge Hoffnung dieser Welt.
Den Treuen schenke neue Kraft,
den Sündern tilge alle Schuld.

Dir höchster Gott, Dreifaltigkeit,
lobsinge alles, was da lebt;
du hast uns durch das Kreuz erlöst:
Bewahre uns in Ewigkeit. Amen.

Nach: „Vexilla regis prodeunt" des Venantius Fortunatus, gestorben um 600.

XI. DIE PIETÀ

Getragen von der Mädchenjugend.

Aus dem Lukas-Evangelium

„Dann kam für sie der Tag der vom Gesetz des Mose vorgeschriebenen Reinigung. Sie brachten das Kind nach Jerusalem hinauf, um es dem Herrn zu weihen, gemäß dem Gesetz des Herrn, in dem es heißt: Jede männliche Erstgeburt soll dem Herrn geweiht sein. Auch wollten sie ihr Opfer darbringen, wie es das Gesetz des Herrn vorschreibt: ein Paar Turteltauben oder zwei junge Tauben.

In Jerusalem lebte damals ein Mann namens Simeon. Er war gerecht und fromm und wartete auf die Rettung Israels und der Heilige Geist ruhte auf ihm. Vom Heiligen Geist war ihm offenbart worden, er werde den Tod nicht schauen, ehe er den Messias des Herrn gesehen habe. Jetzt wurde er vom Geist in den Tempel geführt; und als die Eltern Jesus hereinbrachten, um zu erfüllen, was nach dem Gesetz üblich war, nahm Simeon das Kind in seine Arme und pries Gott mit den Worten: Nun lässt du, Herr, deinen Knecht, wie du gesagt hast, in Frieden scheiden. Denn meine Augen haben das Heil gesehen, das du vor allen Völkern bereitet hast, ein Licht, das die Heiden erleuchtet, und Herrlichkeit für dein Volk Israel.

Sein Vater und seine Mutter staunten über die Worte, die über Jesus gesagt wurden. Und Simeon segnete sie und sagte zu Maria, der Mutter Jesu: Dieser ist dazu bestimmt, dass in Israel viele durch ihn zu Fall kommen und viele aufgerichtet werden, und er wird ein Zeichen sein, dem widersprochen wird. Dadurch sollen die Gedanken vieler Menschen offenbar werden. Dir selbst aber wird ein Schwert durch die Seele dringen."

Lk 2,22–35

Stabat Mater

Das Johannesevangelium allein erzählt davon, dass Maria, die Mutter Jesu, unter dem Kreuz ihres Sohnes stand, und bei ihr der Jünger, den Jesus liebte (vgl. Joh 19,25). Die Mutter, die den ersten Augenblick seines Lebens, den ersten Atemzug, seinen ersten Schrei erlebte, erleidet jetzt mit ihrem Sohn auch den letzten Augenblick seines Lebens, den letzten Schrei und den letzten Atemzug, mit dem er seinen Geist aufgibt in dieser Stunde des grausamen Sterbens. Es soll keinen größeren Schmerz geben, als wenn Eltern in das offene Grab ihres Kindes blicken müssen, sein Sterben hilflos miterleben und anschauen müssen.

„Christi Mutter stand mit Schmerzen
bei dem Kreuz und weint von Herzen,
als ihr lieber Sohn da hing.
Durch die Seele voller Trauer,
schneidend unter Todesschauer
jetzt das Schwert des Leidens ging.

Welch ein Schmerz der Auserkornen,
da sie sah den Eingebornen,
wie er mit dem Tode rang.
Angst und Jammer, Qual und Bangen,
alles Leid hielt sie umfangen,
das nur je ein Herz durchdrang.“

So lauten die ersten beiden Strophen der Sequenz „Stabat Mater“ von Jacopone da Todi aus dem 13ten Jahrhundert in der Übertragung von Heinrich Bone von 1847. Das Versmaß hilft dabei über den beschriebenen Schmerz hinweg. Maria steht beim Kreuz ihres Sohnes, hilflos und machtlos. Ihr bleibt nichts, als dass sie dabeisteht, ihm nahe ist in den letzten Augenblicken. Sie sieht sein Sterben mit an, sie leidet mit, sie kann aber nichts tun. Dieses Dabeistehenmüssen und Zuschauenmüssen, aber doch nichts Tunkönnen und -dürfen, steigert den Schmerz ins Unermessliche. Was ihr bleibt, ist das Mitleiden ohne helfen zu können.

So brutal und unmenschlich dieses Stehen Mariens unter dem Kreuz ist, so intim und menschlich ist das, was in der Figur der Pietà der Lohrer Karfreitagsprozession dargestellt ist. Die Gottesmutter hält ihren toten Sohn auf dem Schoß ein letztes Mal in ihren Armen, nachdem er vom Kreuz abgenommen wurde. Von dieser intimen Szene erzählt keiner der neutestamentlichen Passionsberichte. Trotzdem ist diese Szene so menschlich und anrührend, dass man sie sich aus dem Passionsgeschehen nicht wegdenken möchte. Die Kunst hat das Ihre dazu beigetragen, diesen letzten Moment von Mutter und Kind festzuhalten, dieses letzte und endgültige Abschiednehmen.

Im Tode des eigenen Kindes einen Sinn zu entdecken ist letztlich eine Zumutung, auch wenn das die alte Sequenz „Stabat Mater" versucht:

„Ach, für seiner Brüder Schulden
sah sie ihn die Marter dulden,
Geißeln, Dornen, Spott und Hohn.
Sah ihn trostlos und verlassen
an dem blutgen Kreuz verblassen,
ihren lieben einzgen Sohn."

Auf dem Schoß der Mutter

Das Frankenland gilt als Marienland. Es gibt eine Vielzahl von Marienwallfahrtsorten und eine Unzahl von Mariendarstellungen an Häusern, auf Bildstöcken und in kleinen Wegkapellen. Zwei Darstellungen der Gottesmutter sind typisch für das Frankenland. Entweder sieht man Maria mit dem Jesuskind auf dem Arm oder mit ihrem toten Sohn auf dem Schoß. Maria zeigt den Menschen Jesus, ihren Sohn, was auch die alte Antiphon „Salve, Regina" aus dem 11ten Jahrhundert von ihr erbittet: „Zeige uns Jesus, die gebenedeite Frucht deines Leibes". Sie zeigt im Kind den menschgewordenen Gottessohn und im Toten unseren Erlöser und Heiland. Als Pietà zeigt sie ihn mit dem, was er für uns getan hat. Sein Leiden und Sterben, sein Tod am Kreuz haben uns das Leben in Fülle gebracht. Sie hat den Urheber des Lebens, Gott selbst zur Welt und zu uns Menschen gebracht. Wenn Maria ihren Sohn als Kind oder als Toten zeigt, ist dies eine zutiefst mütterliche Geste. Sie erweist sich damit nicht nur als Mutter Gottes, sondern zeigt auch, wie sie allen Menschen, die Brüder und Schwestern ihres Sohnes sind, mütterlich zugeneigt ist.

Die Darstellung der Pietà zeigt die Gottesmutter Maria solidarisch mit allen Leidenden und Trauernden, mit allen, die einen geliebten Menschen hergeben mussten. Mit ihnen spricht sie gewissermaßen wie der Beter in Psalm 56 zu Gott in der Hoffnung, dass das erfahrene Leid nicht vergebens sei und nicht vergessen werde: „Mein Elend ist aufgezeichnet bei dir. Sammle meine Tränen in einem Krug, zeichne sie auf in deinem Buch" (Ps 56,9).

Eine andere Bezeichnung für diese Darstellung ist das Vesperbild. Es verweist auf die Vesperzeit, die Abendstunde des Karfreitags, in der Jesus tot vom Kreuz abgenommen wurde. Zugleich ist es aber auch ein Hinweis auf die Abendstunde eines jeden Tages, den Moment des Innehaltens nach der Arbeit und den Mühen des Tages. Es ist die Zeit des stillen Gewahrwerdens und des Neuausrichtens auf Christus, der durch sein Kreuz und seinen Tod das Leben in Fülle erworben und geschenkt hat. Maria zeigt den Menschen dazu ihren Sohn.

Die Pietà der Lohrer Karfreitagsprozession, die einzige Station, die von jungen Frauen getragen wird, zeigt Maria mit ihrem toten Sohn auf dem Schoß. Sie hält ihn eng umschlungen, die Hände ineinander verschränkt. Sie beugt sich über ihn, will von ihm abhalten, was ihm noch drohen könnte. Jetzt, da sie wieder etwas für ihn tun kann, will sie auch das Letzte tun, was sie für ihn noch tun kann. Sie hält ihn ein letztes Mal umschlungen. Bald muss sie ihn hergeben. In der Geburt hat sie ihn hergegeben ins Leben. Jetzt muss sie ihn hergeben ins Grab. Was ihr bleibt, ist dieser letzte innige und intime Moment, bevor sie ihn loslassen muss – für immer.

Befreit von Nägeln und Dornenkrone

Vor Maria und ihrem toten Sohn liegen die Nägel, mit denen Jesus ans Kreuz geschlagen wurde, und die Dornenkrone, die man ihm aufs Haupt gedrückt hatte. Ein kleines Detail, das den Moment der Hilflosigkeit, aber auch eine letzte Geste der Liebe über den Tod hinaus darstellt. Die Nägel, die ihm Hände und Füße ans Kreuz geheftet haben, haben ihre Schuldigkeit getan: Den Toten muss man nirgendwo mehr annageln. Die Dornen seiner Schandkrone spürt er schon lange nicht mehr. Sie wird ihm abgenommen als eine Geste der Liebe, die dieses Zeichen der Schande von ihm wegnehmen will im Tod und trotz des Todes.

Die verschränkten Hände Mariens sind gefaltet über der Seitenwunde, die der Speer des Soldaten, der sich vom Tod des Gekreuzigten überzeugen wollte, hinterlassen hatte. Die Hände Mariens schließen die klaffende Wunde. Die geöffnete Seite Jesu verweist auf sein offenes Herz. Gottes Herz für die Menschen hat leibhaftig geschlagen in Jesu Brust. Im Tod am Kreuz hat Jesu Herz zu schlagen aufgehört. Gottes

Herz für die Menschen schlägt aber dennoch und trotzdem weiter. Der Lanzenstich stellt den Tod fest und verweist darüber hinaus auf ein Geheimnis der Liebe Christi: Sein Herz ist offen. Jesu Herz ist und bleibt offen für die Menschen – für uns und für das, was wir ihm in dieses Herz hineinlegen und ihm anvertrauen wollen. Wir legen es Christus nicht nur ans Herz, sondern ins Herz hinein.

An den Händen und an den Füßen klaffen die Wunden, die die Nägel hinterlassen haben, die ihm durchs Fleisch und dann ins Holz getrieben wurden. Diese Male der Nägel in seinen Händen und Füßen und die Speerwunde in seiner Seite bleiben seine Erkennungszeichen. Der Auferstandene zeigt den Jüngern seine Wunden und fordert Thomas auf, ihn in seinen Wunden zu berühren; an ihnen erkennen sie ihn (vgl. Joh 21,19–29). Sie bleiben die Erkennungszeichen für die abgrundtiefe Liebe Jesu zu den Seinen, für die er sein Leben hingegeben hat, damit sie das Leben in Fülle haben. Sie bleiben die Erkennungszeichen Jesu und seiner Liebe zu uns – für immer.

XII. DAS HEILIGE GRAB

Getragen von der Bäcker- und Konditoreninnung und von Beschäftigten anderer Einzelhandelsberufe.

Aus dem Markus-Evangelium

„Da es Rüsttag war, der Tag vor dem Sabbat, und es schon Abend wurde, ging Josef von Arimathäa, ein vornehmer Ratsherr, der auch auf das Reich Gottes wartete, zu Pilatus und wagte es, um den Leichnam Jesu zu bitten. Pilatus war überrascht, als er hörte, dass Jesus schon tot sei. Er ließ den Hauptmann kommen und fragte ihn, ob Jesus bereits gestorben sei. Als der Hauptmann ihm das bestätigte, überließ er Josef den Leichnam. Josef kaufte ein Leinentuch, nahm Jesus vom Kreuz, wickelte ihn in das Tuch und legte ihn in ein Grab, das in einen Felsen gehauen war. Dann wälzte er einen Stein vor den Eingang des Grabes. Maria aus Magdala aber und Maria, die Mutter des Joses, beobachteten, wohin der Leichnam gelegt wurde."

Mk 15,42–47

Endstation Tod

Das einzig Sichere im Leben ist der Tod – und der ist todsicher. So wahr diese Aussage auch ist, so hoffnungslos erscheint sie auf den ersten Blick. Das Leben läuft auf eine nicht überschreitbare Grenze zu. So wird der Tod für manche zur radikalen Infragestellung des Lebens selbst: Welche Bedeutung kann ein Leben haben, wenn es doch nur den Tod als Ziel hat? Die Meinung kann sich auftun, man müsse doch alles aus dem Leben herausholen, alles erlebt haben, bevor man stirbt. Das überfordert das Leben selbst. Der Tod macht das Leben, wie es gelebt wird, seine Entscheidungen und Entwicklungen aber erst wirklich bedeutsam. Da das Leben im Tod ein Ende hat, sind die Augenblicke des Lebens selbst bedeutsam und wertvoll, denn sie sind unwiederbringlich. Das Leben fängt nicht irgendwann erst richtig an, im Leben ist der Mensch immer mittendrin und mitten dabei. Ich kann nicht erst morgen oder irgendwann später das Leben anfangen, ich bin jetzt schon mitten im Leben. Ich kann und darf die wichtigen Entscheidungen des Lebens nicht auf morgen oder übermorgen oder gar auf den Sankt-Nimmerleins-Tag aufschieben. Ich muss sie vielmehr treffen, wenn es an der Zeit dafür ist, denn später könnte es schon zu spät sein. Wenn der Tod schneller ist, und ich mich noch nicht entschieden habe zu leben, ist es vorbei. Das ist die Herausforderung, die der Tod an das Leben stellt. Dadurch aber wird das Leben selbst existenziell und bedeutsam. Jetzt gilt es zu leben, jetzt und hier und nicht erst irgendwann einmal und irgendwo. Wer sein Leben, die Entscheidungen, die getroffen werden müssen, das Engagement für die anderen, immer wieder vertagt, der verweigert schließlich das Leben und vergibt sich die Chance richtig zu leben, vor sich und in den Augen Gottes. Es gibt im Angesicht des Todes, der das Leben beenden wird, zwei falsche Strategien, mit dem Leben selbst umzugehen. Die eine ist die Verweigerung des Lebens, wenn man sich vom irgendwann drohenden Tod einschüchtern lässt und sein Leben nicht lebt, weil es im Angesicht des Todes sinnlos erscheint. Die andere ist der Versuch, aus dem Leben alles herausholen zu wollen, alles erlebt haben zu wollen, alles gesehen und gespürt haben zu wollen, was das Leben bieten kann, bevor der Tod es beendet. Dabei macht der Tod das Leben wertvoll, weil jeder Augenblick unwiederbringlich ist. Es gilt zu leben, jetzt und hier, denn eine zweite Chance gibt es nicht. So drückt es auch der Text eines neuen geistlichen Liedes von Alois Albrecht aus:

„Jetzt ist der Tag, jetzt ist die Stunde,
heute wird getan oder auch vertan,
worauf es ankommt, wenn er kommt."

Das Leben Jesu zeigt, wie es gelingt, wirklich zu leben, ohne in einen der falschen Wege einzuschwenken. Auch Jesus kommt um den Tod nicht herum.

Endstation Grab

Die Darstellung des Heiligen Grabes bei der Lohrer Karfreitagprozession ist wenig spektakulär. In einem mit kleinen Säulen verzierten Schrein liegt der bleiche Leichnam Jesu, mit leuchtenden Wunden an Händen, Füßen und in der Seite, unter einem durchscheinenden Tuch. Eine schlichte Darstellung, die deutlich macht: Jesus ist tot. Paulus hat dafür ganz schlichte Worte in seinem ersten Brief an die Korinther: „Christus ist für unsere Sünden gestorben, gemäß der Schrift, und ist begraben worden" (1Kor 15,3b.4a).

Das Grab war für die Gläubigen des alten Israels Endstation und der Punkt der absoluten Gottesferne. Denn Gott wurde als ein Gott der Lebenden geglaubt, der mit den Toten nichts zu tun haben sollte. „Wer einmal ins Grab gesunken ist, braucht von deiner Güte nichts mehr erhoffen" (Jes 38,18), formuliert es König Hiskija, genesen von schwerer

Krankheit, in der er seinen Tod nahe sah. Gerade die schwere Krankheit wurde als ein Vorbote des Todes gesehen und das Krankenlager wurde zu einem Abbild des Grabes. Die Psalmen geben Zeugnis davon, wenn im 88sten Psalm ein Kranker vor Gott klagt: „Meine Seele ist gesättigt mit Leid, mein Leben ist dem Totenreich nahe. Schon zähle ich zu denen, die hinabgesunken sind ins Grab, bin wie ein Mann, dem alle Kraft genommen ist. Ich bin zu den Toten hinweggerafft wie Erschlagene, die im Grabe ruhen; an sie denkst du nicht mehr, sie sind deiner Hand entzogen. Du hast mich ins tiefste Grab gebracht, tief hinab in finsterste Nacht“ (Ps 88, 4–7). Aber auch der so Klagende weiß um die rettende Macht Gottes und bekennt zu Beginn seiner Klage: „Herr, du Gott meines Heiles“ (Ps 88,2). Der alttestamentliche Beter klammert sich an das Leben, denn nur hier steht er im Angesicht Gottes, nur hier wird Gott gnädig auf ihn schauen und heilend an ihm handeln. Wenn das Grab sich über ihm geschlossen haben wird, ist er nicht nur fort aus der Welt der Lebenden, er ist auch weg von Gott und seiner lebenspendenden Macht.

Erst langsam setze sich die Vorstellung durch, dass Gott auch Macht über die Toten hat und sie auferwecken würde. Zur Zeit Jesu ist das bei den Juden noch nicht allgemeine Glaubensüberzeugung. Gott ist und bleibt aber ein Gott der Lebenden, deshalb entsteht die Hoffnung, dass er die Toten auferwecken wird. So lehrt es Jesus im Lukasevangelium: „Dass aber die Toten auferstehen werden, hat schon Mose in der Geschichte vom Dornbusch angedeutet, in der er den Gott Abrahams, den Gott Isaaks und den Gott Jakobs nennt. Er ist doch kein Gott von Toten, sondern von Lebenden; denn für ihn sind alle lebendig“ (Lk 20,37f).

Endstation Hoffnung

Die Darstellung des Heiligen Grabes bei der Lohrer Karfreitagsprozession bleibt wenig spektakulär. Ein kleines, leicht zu übersehendes Detail ist es, das die Botschaft trägt: Mitten auf der Bekrönung des Grabes ist ein kleines weißes Kreuz angebracht und in dessen Mitte die vergoldete Darstellung des Auges Gottes. Das ist ein Hoffnungszeichen. Ein Hoffnungszeichen, das den Tod ernst nimmt, das aber auch an die lebenspendende Macht Gottes glaubt und so vor allem Gott ernst nimmt. Es nimmt den Tod ernst, das macht das Kreuz deutlich, das wie kein anderes Zeichen auf den Tod Jesu verweist. Im Kreuzungspunkt seiner Balken, gewissermaßen mitten im Tod, wird der lebenspendende Gott sichtbar, der auf die Toten blickt. Sie sind seinem Blick und damit seiner Macht nicht entzogen. Gott hat die Toten vor Augen. Das Grab als der anscheinend lebens- und gottfernste Ort, ist doch von Gott in den Blick genommen.

„Ich habe den Herrn beständig vor Augen. Er steht mir zur Rechten, ich wanke nicht. Darum freut sich mein Herz und frohlockt meine Seele; auch mein Leib wird wohnen in Sicherheit. Denn du gibst mich nicht der Unterwelt preis; du lässt deinen Frommen das Grab nicht schauen. Du zeigst mir den Pfad zum Leben. Vor deinem Angesicht herrscht Freude in Fülle, zu deiner Rechten Wonne für alle Zeit" (Ps 16,8–11). Aus dieser Hoffnungsaussage der Psalmen wird so eine Glaubensgewissheit. So wendet Petrus in seiner Pfingstpredigt diese David zugeschriebenen Verse auf Jesus und sagt: „Diesen Jesus hat Gott auferweckt, dafür sind wir Zeugen" (Apg 2,32).

Die Hoffnung stirbt nicht nur sprichwörtlich zuletzt, wirkliche Hoffnung, die auf Gott setzt, ist nicht tot zu bekommen.

Membra Christi

von Nägeln durchbohrt die Hände
die berührten und heilten
Nähe und Zärtlichkeit schenkten
die segneten und Füße wuschen
Brot brachen und verteilten

von Eisen durchtrieben die Füße
die zu den Menschen eilten
nachgingen den Verlorenen
eilige Schritte des Freudenboten
unterwegs, das Reich zu verkünden

von Schlägen zerfetzt der Rücken
der trug die Leiden der Vielen
Sünden und Schuld von allen
unter das Kreuzesholz gebeugt
der Aufrechte unter den Menschen

von Dornen zerrissen die Stirn
Gottes Weisheit in der Welt
gekrönt zu Spott und Hohn
bespuckt, verkannt und verlacht
der wahre König dieser Welt

von Steinen geschunden die Knie
die sich vor den Menschen beugten
dass er ins Auge Gottes sieht
die wahre Größe im ganz Kleinen
trotz Staub und Dreck und Blut

vom Speer durchdrungen die Seite
geöffnet die Brust und das Herz
Gottes Herz bei den Menschen
mit roher Gewalt zum Stand gebracht
schlägt es dennoch ewig weiter

von Fäusten misshandelt das Angesicht
Gottes Antlitz in der Welt
geschlagen und geschwollen
dennoch strahlt und leuchtet es
von Gottes Liebe zu den Menschen

von uns ans Kreuz gehängt der heilige Leib
in dem uns begegnet der unsichtbare Gott
im Leid der Menschen ewig gegenwärtig
das Antlitz des wahren Gottessohnes
der für uns starb und auferstand

XIII. DAS ZEICHEN DES JONA

Getragen von der Freiwilligen Feuerwehr.

Aus dem Buch des Propheten Jona

„Dann nahmen sie Jona und warfen ihn ins Meer und das Meer hörte auf zu toben. Da ergriff die Männer große Furcht vor Jahwe und sie schlachteten für Jahwe ein Opfer und machten ihm viele Gelübde.

Der Herr aber schickte einen großen Fisch, der Jona verschlang. Jona war drei Tage und drei Nächte im Bauch des Fisches und er betete im Bauch des Fisches zum Herrn, seinem Gott: In meiner Not rief ich zum Herrn und er erhörte mich. Aus der Tiefe der Unterwelt schrie ich um Hilfe und du hörtest mein Rufen. Du hast mich in die Tiefe geworfen, in das Herz der Meere; mich umschlossen die Fluten, all deine Wellen und Wogen schlugen über mir zusammen ... Ich aber will dir opfern und laut dein Lob verkünden. Was ich gelobt habe, will ich erfüllen. Vom Herrn kommt die Rettung. Da befahl der Herr dem Fisch, Jona ans Land zu speien."

Jona 1,15–2,4.10–11

Aus dem Matthäus-Evangelium

„Zu dieser Zeit sagten einige Schriftgelehrte und Pharisäer zu ihm: Meister, wir möchten von dir ein Zeichen sehen. Er antwortete ihnen: Diese böse und treulose Generation fordert ein Zeichen, aber es wird ihr kein anderes gegeben werden als das Zeichen des Propheten Jona. Denn wie Jona drei Tage und drei Nächte im Bauch des Fisches war, so wird auch der Menschensohn drei Tage und drei Nächte im Innern der Erde sein. Die Männer von Ninive werden beim Gericht gegen diese Generation auftreten und sie verurteilen; denn sie haben sich nach der Predigt des Jona bekehrt. Hier aber ist einer, der mehr ist als Jona."

Mt 12,38–41

Drei Tage und drei Nächte

Wie die Geschichte ausgehen wird, ist bekannt. Auf den Karfreitag folgt am dritten Tag der Ostermorgen mit der Auferweckung des Gekreuzigten durch Gott. Das Grab Jesu, das fast 200 Jahre als letzte Station der Lohrer Karfreitagsprozession getragen wurde, ist der Endpunkt der Leidens- und Passionsgeschichte Jesu. Das Grab ist aber nicht das Ende der Geschichte Jesu. Die Geschichte Jesu hat kein Ende, denn Gott hat ihn von den Toten auferweckt, und er lebt. So wurde das Grab Jesu am Ende der Lohrer Karfreitagsprozession als unbefriedigender Abschluss gesehen, ist es doch eine Prozession, die von dem Leben spricht, das durch Kreuz und Tod Jesu erstanden ist. Sie konnte und durfte nicht mit dem Leichnam Jesu im Grab enden. Ein leeres Grab, oder gar eine Darstellung des Auferstandenen selbst kommt aber als Abschluss der Karfreitagsprozession nicht infrage. Sie kann und will nicht am Morgen des Karfreitags schon den Ostersonntag vorwegnehmen. So besann man sich auf den alten Abschluss der Prozession, der Anfang des 19ten Jahrhunderts aufgegeben wurde. Damals wurde als letzte Figur der Fisch des Jona mitgeführt, in dessen hohlen Bauch ein Junge als Vorbeter lag. Diese Figur, ganz entsprechend dem Geist des Barock, widersprach der Nüchternheit der Nachaufklärung. Die fand immer wieder Anstoß an der gesamten Prozession. So wurde das alte Zeichen des Jona geopfert, um die Prozession vor einem erneuten drohenden Verbot zu retten. 1993 wurde durch den ehemaligen Stadtpfarrer und Dekan Karl Haller, der in den 1950er Jahren die Prozession so umgestaltete, wie sie heute stattfindet, das Zeichen des Jona neu gestiftet, das als letzte Figur die österliche Verheißung und Erwartung zum Ausdruck bringt, ohne Ostern selber vorwegzunehmen.

Im Matthäusevangelium ist es Jesus selbst, der durch den Verweis auf das Zeichen des Jona die Hoffnung und Verheißung auf die Auferweckung am dritten Tag Grund legt, wenn er sagt: „Denn wie Jona drei Tage und drei Nächte im Bauch des Fisches war, so wird auch der

Menschensohn drei Tage und drei Nächte im Innern der Erde sein" (Mt 12,40).

Die drei Tage und Nächte kommen nicht von ungefähr. Es ist die abgründige Hoffnung, dass Gott aus und in allem Unheil und Tod doch Heil und Leben schaffen kann. „Denn niemand, der auf dich hofft, wird zuschanden" (Ps 25,3), wusste der fromme Beter. Wer auf den Herrn vertraut, dem wird der Herr auch helfen – spätestens am dritten Tag: „Nach zwei Tagen gibt er uns das Leben zurück, am dritten Tag richtet er uns wieder auf und wir leben vor seinem Angesicht" (Hos 6,2).

Aus der Tiefe

Das große Glaubensbekenntnis der Kirche bekennt, dass Jesus nach seinem Tod und vor seiner Auferstehung am dritten Tag hinabgestiegen sei in das Reich des Todes. Was da im sprachlichen Gewand mythischer Bilder und Vorstellungen zum Ausdruck gebracht wird, ist zutiefst menschliche Realität. Es ist die Erfahrung der Gottferne, das eigene Abgeschnittensein vom Leben in Krankheit und Depression, die Angst vor dem Tod, der alles überwältigt, alles Leben unter sich begräbt und erstickt. Diese Erfahrungen können so heftig sein, dass keine Hilfe und keine Rettung mehr gesehen werden. Diese Erfahrungen können so mächtig sein, dass keine Macht der Welt mehr gegen sie ankommen kann. Diese Erfahrungen können so massiv sein, dass der Zweifel an Gott und seiner Macht wachsen kann: Wird und kann Gott überhaupt da helfen? Das sind keine Fragen, die theoretische Antworten vertragen. Gott gibt auch keine theoretische Antwort darauf, er gibt seinen Sohn. Er gibt seinen Sohn ins Leben und ins Sterben; er gibt Jesus in den Tod und ins Grab. Die finstersten, gott- und lebensfernsten Orte sind Gott nicht fremd. Im Tod unterfasst Jesus die letzten Abgründe der menschlichen Existenz. Galten der Tod, das Grab und das Totenreich als Ausdruck der abgründigsten Gottesferne, so ist durch Jesu Tod und

Auferweckung auch dieser Bereich zu einem Ort geworden, in dem Gott machtvoll und Leben schaffend wirkt. Es gibt nichts im menschlichen Leben, kein Leid, keinen Schmerz, keinen Tod, keine Gottferne, die der Sohn Gottes nicht kennt. Es gibt nichts, was er nicht durchlitten hat und wo durch ihn kein Leben geschaffen worden wäre. Der Schrei der Verlassenheit Jesu am Kreuz in der Finsternis auf Golgota: „Eloi, Eloi lema sabachtani?, das heißt übersetzt: Mein Gott, mein Gott, warum hast du mich verlassen?" (Mk 15,34) gibt davon beredt Zeugnis. Das Glaubensbekenntnis „hinabgestiegen in das Reich des Todes" spricht die Bedeutung für unser Leben an.

Das Flehen des Beters aus Psalm 130 und all derer, die sich diese Worte bewusst oder unbewusst zu eigen gemacht haben, ist von Gott erhört worden: „Aus der Tiefe rufe ich, Herr, zu dir: Herr, höre meine Stimme! Wende dein Ohr mir zu, achte auf mein lautes Flehen! Ich hoffe auf den Herrn, es hofft meine Seele, ich warte voll Vertrauen auf sein Wort" (Ps 130,1–2.5). Die Hoffnung des Beters selbst ist durch Jesus Christus wahr geworden: „Beim Herrn ist die Huld, bei ihm ist Erlösung in Fülle" (Ps 130,7). Gott selbst hat das rettende und befreiende Wort der Erlösung gesprochen: „Du sollst leben!" Und aus den Abgründen der Tiefe und des Todes geht es wieder heraus ans Leben.

Auf Ausguck nach Leben

Die letzte Figur der Lohrer Karfreitagsprozession führt einen dramatischen Moment vor Augen. Der große Fisch, der Jona auf Gottes Geheiß im stürmisch aufgewühlten Meer verschluckt hatte, ist wieder an die Oberfläche gekommen. Er hat das große Maul geöffnet, und Jona schaut heraus; gleich wird er an das rettende Ufer gespien. Es ist der Moment der endgültigen Rettung. Jona hat das rettende Ufer schon vor Augen. Aus der Bedrohung des Todes ist eine neue Chance auf Leben geworden. Jona hält die Hand über den Kopf, als ob er die Augen vor der Sonne beschirmen müsste. Er ist auf Ausguck nach dem Leben, das Gott ihm neu geschaffen hat. Gott hat das Gebet der Todesangst des Jona erhört, das doch durch und durch durchdrungen ist von der Hoffnung auf den rettenden und Leben schaffenden Gott: „In meiner Not rief ich zum Herrn und er erhörte mich. Aus der Tiefe der Unterwelt schrie ich um Hilfe und du hörtest mein Rufen. Du hast mich in die Tiefe geworfen, in das Herz der Meere; mich umschlossen die Fluten, all deine Wellen und Wogen schlugen über mir zusammen. Ich dachte: Ich bin aus deiner Nähe verstoßen. Wie kann ich deinen heiligen Tempel wieder erblicken? Das Wasser reichte mir bis an die Kehle, die Urflut umschloss mich; Schilfgras umschlang meinen Kopf. Bis zu den Wurzeln der Berge, tief in die Erde kam ich hinab; ihre Riegel schlossen mich ein für immer. Doch du holtest mich lebendig aus dem Grab herauf, Herr, mein Gott“ (Jona 2,3–7).

Das Zeichen des Jona ist ein Zeichen der Hoffnung auf Leben, das die Figurenreihe der Lohrer Karfreitagsprozession beschließt. Jona ist auf Ausguck nach dem Leben, das Gott ihm neu geschaffen hat. Jesus selbst hat die prophetische Gestalt des Jona zu einem Zeichen der Hoffnung auf das Leben gemacht, das Gott trotz des Todes schenken will. Gott schenkt Leben trotz des Todes und durch den Tod hindurch. Es gibt keinen gottfernen oder gottlosen Ort mehr und damit auch keinen heillosen und lebensfernen Ort mehr. Die Hoffnung auf Leben stirbt nicht.

AM RANDE

Menschen am Rande der Karfreitagsprozession.

Aus dem Lukas-Evangelium

„Als der Hauptmann sah, was geschehen war, pries er Gott und sagte: Das war wirklich ein gerechter Mensch. Und alle, die zu diesem Schauspiel herbeigeströmt waren und sahen, was sich ereignet hatte, schlugen sich an die Brust und gingen betroffen weg.

Alle seine Bekannten aber standen in einiger Entfernung vom Kreuz, auch die Frauen, die ihm seit der Zeit in Galiläa nachgefolgt waren und die alles mit ansahen."

Lk 23,47–49

Aus dem Johannes-Evangelium

„Und der, der es gesehen hat, hat es bezeugt und sein Zeugnis ist wahr. Und er weiß, dass er Wahres berichtet, damit auch ihr glaubt. Denn das ist geschehen, damit sich das Schriftwort erfüllte: Man soll an ihm kein Gebein zerbrechen. Und ein anderes Schriftwort sagt: Sie werden auf den blicken, den sie durchbohrt haben."

Joh 19,35–37

Im Vorübergehen

Menschen stehen am Rande der Lohrer Karfreitagsprozession. Es sind jedes Jahr Tausende, die die Bilder der Prozession sehen. Die Betrachter gehen anders weg, als sie gekommen sind.

Die Lohrer Karfreitagsprozession ist eine Schauprozession, ein heiliges Schauspiel. Sie ist eine Demonstration des Glaubens an den, der selbst im Tod noch Leben in Fülle schafft. Sie will und sie braucht deshalb die Menschen, die am Rande stehen, die sehen und schauen und sich betreffen lassen. Gewissermaßen im Vorübergehen wird das Zentrum des christlichen Glaubens vorgestellt: die Erlösung. In Bildern, ohne Worte und Reden. Das dunkle Geheimnis von Schuld und Sünde, das den Tod ins Leben bringt im Großen und im Kleinen. Das Mysterium der Liebe, die die Macht des Todes bricht, indem sie den Tod sich am Kreuz totlaufen lässt. Das Wunder des neuen Lebens in Gnade und Freiheit.

Jedes gesprochene Wort während der Prozession wäre zu viel. Sagen doch die einzelnen Bilder mehr als viele Worte. Jedes gesprochene Wort würde die stille Botschaft der Figuren überdecken und zerreden. Jedes laut vorgesprochene Gebet würde die vielen Gebete unterdrücken, die in den stummen Betrachtern aufsteigen, wenn sie mit den Figuren stille Zwiesprache halten. Jedes vorgebetete Gebet würde die leisen Anrufe übertönen, die hier immer wieder ergehen. Die Trauerchoräle und die dumpfen Paukenschläge schaffen eine Atmosphäre, die zentriert und zum Eigentlichen hinführt.

Bisweilen liegen die Schatten der lebensgroßen Figuren auf den Betrachtern und zeigen so äußerlich sichtbar, wie sie die Menschen innerlich berühren. Sie stellen Verbindungen her über Schatten und Figuren zwischen dem Geschehen damals in Jerusalem und den Menschen, die heute in Lohr am Rande des Prozessionsweges stehen.

Im Vorübergehen werden die Figuren gezeigt, denn sie zeigen selbst einen Weg, der gegangen werden will. Es ist Weg zum Leben. Diesen Weg gehen heißt Christus nachfolgen.

Betroffene Betrachter

Das letzte Bild ist an den Menschen am Rande vorübergetragen worden. Das betrachtende Schweigen ist geblieben, und die sichere Ahnung, dass das Geschehen, das da in den lebensgroßen Figuren gezeigt wurde, etwas mit mir und meinem Leben zu hat.

Manchen sieht man die Motivation an, warum sie an diesem Karfreitagmorgen nach Lohr gekommen sind. Da sind Touristen, die ein einmaliges anscheinend folkloristisches Spektakel sehen wollten, das letzte und größte seiner Art. Die Fotokamera hängt um den Hals, die Videokamera in der einen Hand. Die andere Hand hält die Baseballkappe, die ein alter Reflex während der Prozession vom Kopf gezogen hat. Die Betroffenheit steht im Blick. Dieses scheinbar folkloristische Geschehen ist tiefer gegangen, als man erwartet und gewollt hat. Es hat betroffen gemacht, weil Tod und Leben nun einmal einen jeden Menschen im Innersten betreffen. Es geht immer um den eigenen Tod und das eigene Leben.

Großeltern stehen da mit ihrem Enkelkind. Sie haben ihm während der Prozession erzählt, was die Figuren darstellen und bedeuten und auch, von wem sie getragen werden. Das Kind steht noch da mit großen Augen und offenem Mund, die Großeltern lassen jetzt die Bilder schweigend nachklingen – man ist nie zu jung und nie zu alt, um mit dem Leben in Berührung zu kommen.

Da sind die, die aus Lohr stammen und schon längst weggezogen sind, die aber immer wieder am Karfreitagmorgen in ihre Heimat zurückkehren, um die Prozession zu sehen. Wie in der Heimat die Wurzeln des eigenen Lebens liegen, so liegt im von der Prozession gezeigten Geschehen der Grund für Leben in Fülle, weil einer starb, damit die Vielen leben, wirklich leben.

Ein junges Paar steht auch da, vielleicht wollen sie dieses Jahr noch heiraten. Sie lehnen aneinander und halten die Hände eng und fest ineinander verschlungen. Womöglich haben sie eine Ahnung bekommen von der Kraft der Liebe gegen den Tod und für das Leben.

Sie und die anderen stehen still und schweigend, betroffen und betrachtend da und lassen nachklingen, was hier ohne Worte verkündet wurde: Das Geheimnis des Glaubens, dass im Tod das Leben ist. Dann gibt es noch die vielen anderen, aus welchem Grund auch immer sie gekommen sein mögen: sie gehen anders weg.

So wiederholt sich jedes Jahr, was Lukas am Ende seiner Passionserzählung schildert. Das Geschehen hat die Menschen betroffen gemacht – ob sie es wollten oder nicht. Es hat sie nicht kalt gelassen, sondern innerlich berührt. „Alle, die zu diesem Schauspiel herbeigeströmt waren und sahen, was sich ereignet hatte, schlugen sich an die Brust und gingen betroffen weg“ (Lk 23,48). So gilt für die Betrachter auch heute: „Und der, der es gesehen hat, hat es bezeugt und sein Zeugnis ist wahr. Und er weiß, dass er Wahres berichtet, damit auch ihr glaubt“ (Joh 19,35): Es ist das Zeugnis vom Leben.

Dumpfer Paukenschlag gibt Takt dem Todesmarsch
des einen, der ihn ging bis zum Ende.
Am Rande: Betroffenheitsstille –
zeigt die Bewegung heute,
durch die alten starren Prozessionsfiguren.

Dumpfer Paukenschlag gibt Takt dem Leidensweg
des einen, der trug Leiden der Vielen.
Am Rande: Martinshorngeheule –
zeugt von neuem Leid heute
das hereingebrochen über einen Menschen.

Dumpfer Paukenschlag gibt Takt dem Leichenzug
des einen, der zu Grabe getragen.
Am Rande: Frühlingsvogelzwitschern –
singt verwehenden Protest
des Lebens gegen den alten und neuen Tod.

DANKSAGUNG

Am Ende dieser Betrachtungen zur Lohrer Karfreitagsprozession gilt es Dank zu sagen. Dieser Dank gebührt als Erstem Helmuth Rößlein für die Zurverfügungstellung seiner Fotografien, die er in den vergangenen Jahren von den Figuren und der Prozession gemacht hat. Ohne diese eindrücklichen Fotos wäre dieses Buch nicht einmal die Hälfte wert.

Weiter gilt mein Dank Bischof Dr. Friedhelm Hofmann für sein Geleitwort und der Diözese Würzburg für ihre großzügige finanzielle Unterstützung. Danken möchte ich auch dem Förderverein Lohrer Karfreitagsprozession und der Kolpingfamilie Lohr für ihre Unterstützung bei dieser Publikation.

Ein besonderes Wort des Dankes gilt der Zisterzienserinnenabtei Waldsassen, wo ich die Ruhe gefunden habe einen großen Teil dieser Betrachtungen zu Papier zu bringen. Herzlich danke ich Pfarrer Gerhard Weber, dass er sich spontan bereit erklärt hat, die Texte Korrektur zu lesen.

Mein größter Dank gilt all denen, die sich für die Lohrer Karfreitagsprozession einsetzen: Den Trägern im umfassenden reellen und ideellen Sinn, die Jahr für Jahr mit den Figuren und dem Glauben, den sie zum Ausdruck bringen, auf die Straßen gehen und auf Leben komm raus die Botschaft vom Leben in Fülle verkünden, das Gott selbst durch Leiden und Tod hindurch schenken wird. Ihnen sei deshalb dieses Buch gewidmet.

Würzburg, im Januar 2011

Simon Mayer